Manuela Georgiakaki
Anja Schümann
Christiane Seuthe

B 1.1

Beste Freunde

DEUTSCH FÜR JUGENDLICHE

Arbeitsbuch

Blair Bao

Hueber Verlag

Audio-CD zum Arbeitsbuch:
Audio-Produktion: Tonstudio Langer, Neufahrn
Sprecher: Oscar Andersson, Jaël Kahlenberg, Anna Pichler, Noa Soffner,
Louis Stremel, Lilith von Waberer, Jakob Riedl, Dascha von Waberer

Beratung:
PD Dr. habil. Marion Grein, Johannes Gutenberg-Universität Mainz

| 5. | 4. | 3. | | Die letzten Ziffern |
| 2022 | 21 | 20 | 19 | 18 | bezeichnen Zahl und Jahr des Druckes. |

Alle Drucke dieser Auflage können, da unverändert,
nebeneinander benutzt werden.
1. Auflage
© 2016 Hueber Verlag GmbH & Co. KG, München, Deutschland
Umschlaggestaltung: Sieveking · Agentur für Kommunikation, München
Zeichnungen: Monika Horstmann, Hamburg
Layout und Satz: Sieveking · Agentur für Kommunikation, München
Verlagsredaktion: Agnieszka Bogacz-Groß, Julia Guess, Silke Hilpert,
Hueber Verlag, München
Druck und Bindung: Passavia Druckservice GmbH & Co. KG, Passau
Printed in Germany
ISBN 978–3–19–361053–9

Art. 530_19542_001_03

1. In jeder Lektion

Übungen zu Wortschatz und Kommunikation

Grammatik selbst entdecken

Texte schreiben lernen

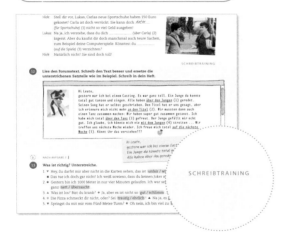

Aussprache gezielt üben

Lernwortschatz-Seiten

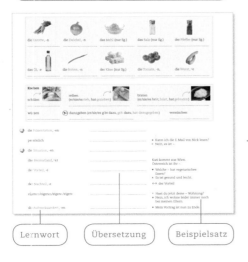

Lernwort · Übersetzung · Beispielsatz

Hinweise zum Lernwortschatz

🌐	Diese Wörter sind im Englischen gleich oder sehr ähnlich.
das Personal (nur Sg.) die Süßigkeiten (nur Pl.)	Diese Wörter kommen nur im Singular / nur im Plural vor.
(die) Toleranz	Diese Wörter werden meist ohne Artikel verwendet, z. B. Toleranz.
~	Im Beispielsatz steht ~ für das Lernwort.

Wegweiser

2. Nach jedem Modul

Training: Lesen, Hören, Sprechen und Schreiben

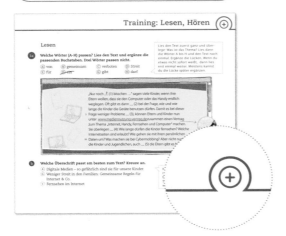

Lernfortschritte überprüfen

3. Im Anhang

Partneraufgaben zum Kursbuch

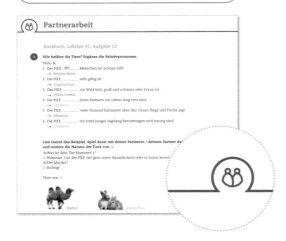

Audio-CD mit Hörtexten

Piktogramme und Symbole

⊕ **NACH AUFGABE 3** ❘

Übung passend nach Aufgabe 3 im Kursbuch

2 ⋙ Übungen mit Hörtext

✂ Übungen zur Wortbildung

⊕ Übungen für Kurse mit mehr Wochenstunden

Schreibübungen für das persönliche Dossier der Lernenden

Lerntipps

> Denk daran:
> Nomen schreibt
> man *immer* groß.

Hinweise zum Sprachvergleich

> Wie sagt man *zwar ... ,*
> *aber ...* in deiner Sprache?

Inhalt

Fabio

Sofie

Simon

Allein zu Hause

↓ NACH AUFGABE 1

1 Was passt zusammen? Verbinde.

1. die Heizung   ⓐ abschließen
2. die Zähne   ⓑ ausmachen
3. Milch   ⓒ machen
4. Lärm   ⓓ putzen
5. die Tür   ⓔ besorgen

GRAMMATIK

2a Schau die Bilder A–C an und ordne die Sätze 1–3 zu.

Vergiss bitte nicht, …

Ich rate euch, …

ausmachen
anmache

Es ist wichtig, …

1. Ⓑ die Vokabeln noch einmal <u>zu wiederholen</u>.
2. ◯ am Abend die Heizung auszumachen.
3. ◯ Blumen für Oma zu besorgen.

b Unterstreiche in 2a die Infinitive mit zu wie im Beispiel und ergänze die Regel.

> zu + *Infinitiv*
>
> Nach bestimmten Verben (*raten, vergessen …*) und Ausdrücken (*es ist …, Lust haben*) steht .... + Infinitiv.

c Schreib die Sätze aus 2a in das Schema und ergänze die Regel.

Hauptsatz	Infinitivsatz		
		Ende	
Ich rate euch,	*die Vokabeln noch einmal*	*zu*	*wiederholen.*
Es ist wichtig,	*am Abend*		*zu*
Vergiss bitte nicht,			

> Der Infinitivsatz (*zu* + Infinitiv) ist ein Nebensatz, *zu* + Infinitiv steht am ....
>
> (!) Bei den trennbaren Verben (✀) steht zu zwischen Vorsilbe und Verb (*auszumachen*).

NACH AUFGABE 2

3a Ergänze das Verb mit **zu**.

1. ● Theo hat vergessen, Brot _zu besorgen_ (besorgen). Kannst du bitte noch ein paar Brötchen mitbringen?
2. ■ Der Englischlehrer hat uns geraten, täglich fünf Vokabeln _____ (lernen). Hast du schon mal versucht, das _____ (machen)?
3. ● Hast du Zeit, ins Kino _____ (gehen)?
   ◆ Nein, ich habe keine Lust _____ (mitkommen). Ich hatte vor, _____ (fernsehen).
4. ▲ Oh, Mist! Ich habe vergessen, die Tür _____ (abschließen).
5. ■ Kerstin möchte einen Horrorfilm sehen. Aber sie hat Angst, ihn allein _____ (anschauen). Sie hat nun geplant, Freunde _____ (einladen).

b Schau noch einmal die Verben und Audrücke mit **zu + Infinitiv** in **2a** und **3a** an. Schreib sie in dein Heft.

Verben	Ausdrücke
vergessen	...
...	

4 Ergänze das Verb, wenn nötig, mit **zu**.

1. ◆ Ich habe vor, meinen Geburtstag ganz groß _zu feiern_ (feiern). Deshalb möchte ich viele Freunde _einladen_ (einladen).
2. ● Jan möchte seinen Freund Paul in Hamburg _____ (besuchen). Er plant, mit dem Zug _____ (fahren).
3. ▲ Hey Lukas, hast du Lust, ins Feriencamp _____ (mitkommen)?
   ● Ich möchte schon, aber ich muss mit meinen Eltern an die Nordsee _____ (fahren).
4. ▼ Oh, nein, ich habe vergessen, das Licht _____ (ausmachen). Jetzt muss ich noch einmal _____ (zurückgehen).

5a Was passt? Ordne zu.

das Licht ausmachen ✕ die Tür aufmachen ✕ das Licht anmachen

b Ergänze **an, aus, auf**.

1. ● Vergiss bitte nicht, den Computer _aus_zumachen, wenn du gehst.
2. ■ Mach doch mal bitte die Lampe _____ . Ich kann nichts sehen.
3. ▲ Kann jemand mal die Tür _____machen? Marie hat ihren Schlüssel vergessen.
4. ■ Justus, mach schnell den Fernseher _____ ! Das Fußballspiel beginnt jetzt.
5. ▲ Gehst du schlafen? Kannst du auch die Kerze _____machen?
6. ▼ Warum hast du das Licht nicht _____gemacht? Es ist doch schon lange dunkel.
7. ◆ Tim, mach bitte nicht alle fünf Minuten den Kühlschrank _____ . Dann geht er kaputt.

Fabio

6 Was haben sie vor? Du kannst die Verben benutzen. Schreib in dein Heft.

(A) (B) (C)

> ausgehen • zur Schule gehen • kochen • schlafen gehen • Freundin treffen • essen ...

A. Vielleicht hat er vor ...
B. Vielleicht plant sie ...

↓ NACH AUFGABE 3 |

7a Schau die Bilder A–C an und lies die Dialoge. Ordne die Sätze 1–3 zu.

> Hallo Frau Meier. Brauchen Sie Hilfe?

> Nein danke, Tobi. ◯ Das geht schon.

> Bist du immer noch nicht fertig? Wir wollten doch zusammen Fußball spielen.

> Ich habe Kopfschmerzen. Ich glaube, ich gehe ins Bett.

(A)

(B) ◯ Dann bin ich in ein paar Minuten fertig.

(C) Ja, schlaf ein bisschen. ◯

1. Du brauchst jetzt keine Hausaufgaben zu machen.
2. Du brauchst mir nur zu helfen.
3. Du brauchst mir nicht zu helfen.

> *brauchen nur = müssen nur*
> *brauchen nicht / kein- = müssen nicht / kein-*

b Ergänze *brauchen* + *nur/nicht/kein-* und *zu* + Infinitiv.

1. ■ Wir <u>brauchen</u> <u>nur</u> die Datei <u>herunterzuladen</u> (*herunterladen*) und dann sind wir fertig.

2. ● Wir _____ <u>keinen</u> Aufsatz _____ (*schreiben*). Wir sollen nur Argumente für und gegen das Thema „Handys in der Schule" sammeln.

3. ◆ Ihr _____ zu Fuß _____ (*gehen*). Ich hole euch mit dem Auto ab.

4. ▲ Ich habe so Zahnschmerzen, aber ich möchte nicht zum Arzt gehen.
   ◆ Du _____ Angst vor dem Zahnarzt _____ (*haben*). Er ist sehr nett.

5. ■ Wenn du Probleme hast, _____ du _____ (*anrufen*). Ich komme sofort.

↓ NACH AUFGABE 4 |

8a Was passt? Ergänze.

> Hi Mama,
> ich bin mit Papa im Supermarkt. Wir <u>besorgen</u> (1) Getränke und Würstchen für meine Party, denn ich kann die schweren Sachen ja nicht allein _____ (2). Jemand muss den Nachbarn noch Bescheid _____ (3), dass es etwas lauter wird. Kannst du das bitte _____ (4)? Und: Könntest du bitte das Wohnzimmer schon mal _____ (5)?
> Danke ☺ und bis später, Sanna

> aufräumen ✕ sagen ✕ tragen ✕ übernehmen ✕ besorgen

b Du bereitest eine Party vor und deine Mutter hilft dir dabei. Schreib eine Nachricht wie in 8a an deinen Vater. Schreib in dein Heft.

> Chips und Popcorn besorgen •
> Stühle aus der Garage holen •
> der Nachbarin Bescheid sagen • ...

9 Ordne zuerst die Dialoge. Ergänze dann die fehlenden Wörter.

> nicht ✕ vergiss ✕ übernehmen ✕ einverstanden ✕
> vielleicht (2x) ✕ Idee ✕ ~~wollen~~ ✕ könnten

Dialog 1

◯ ◆ Nein, ich kann _____.
Ich muss noch aufräumen.
_____ gehst du besser
einkaufen. Und _____ nicht,
Popcorn mitzubringen.

① ▲ Wir _____ noch Ketchup für
die Würstchen besorgen. Kannst du das
_____?

◯ ▲ Ja, alles klar.

Dialog 2

◯ ● Nein, das ist keine so gute
_____. Am Freitag
spielt doch unsere Schulmannschaft.
Da möchten sicher alle hingehen.
_____ am Samstag?

◯ ◆ *Wollen* wir sie nächsten Freitag machen?

① ● Wann findet denn die Party jetzt statt?

◯ ◆ Ja, _____.

↓ NACH AUFGABE 5

10 Was passt nicht? Streiche durch.

1. eine Party   planen — organisieren — ~~besorgen~~
2. im Hotel   übernehmen — übernachten — wohnen
3. mit dem Zug   wegfahren — ankommen — tragen
4. Chips   einkaufen — arbeiten — essen
5. krank   sein — haben — werden

↓ NACH AUFGABE 8

11 Um welches Thema geht es in den Zeitungsartikeln? Beginn die Sätze wie im Beispiel.

> den Oscar für den besten Film ✕ ein neues Auto ✕ Fußball ✕ das Wetter

Ⓐ **4:1 JAAAA!**
Müller schießt Bayern München in Führung

Ⓑ Schnee und -25°C
Kälterekord

Ⓒ **Mercedes zeigt das Auto der Zukunft**
Der F015 kann allein fahren

Ⓓ WELCHER FILM GEWINNT DEN OSCAR?
Spannung in Hollywood

A. *Es geht um* _____
B. _____
C. _____
D. _____

12 **Ergänze die Verben in der richtigen Form.**

machen ✕ verabreden ✕ schreiben ✕ ~~informieren~~ ✕ fotografieren

Meistens hat jemand die Idee für einen Flashmob und _informiert_ (1) andere.
Die Teilnehmer _____ (2) sich über Facebook und andere soziale Medien.
Während des Flashmobs _____ (3) dann viele Menschen am gleichen
Ort das Gleiche. Oft _____ (4) jemand die Teilnehmer und Journalisten
_____ (5) Artikel in den Medien.

13 **Welches Verb passt? Ergänze.**

~~tanzen~~ ✕ wohnen ✕ lesen ✕ essen ✕ chatten

1. eine Choreografie _tanzen_
2. in sozialen Medien _____
3. in einem Fast-Food-Restaurant _____
4. einen Artikel _____
5. in einem Stadtteil _____

14a **Ergänze. Was macht sie/er?**

1. der Autofahrer _Er fährt Auto._
2. die Motorradfahrerin _____
3. der Fußballspieler _____
4. die Tangotänzerin _____
5. der Zeitungsleser _____

b **Schau noch einmal die Nomen in 14a an und ergänze die Regel.**

> Aus einem Verb kann man sehr leicht ein Nomen bilden:
>
> fahr~~en~~ + _____ 👤 → der Fahrer
>
> _____ 👤 → die Fahrerin
>
> Auch aus Nomen + Verb kann man ein Nomen bilden:
>
> Auto fahr~~en~~ → 👤 _der_ _____
>
> → 👤 _____

15 **Ergänze, was fehlt.**

1. Ein Comicleser _ist ein Mann. Er liest einen Comic._
2. Eine _____ ist eine Frau. Sie fährt Fahrrad.
3. Ein _____ ist ein Mann. Er hört Radio.
4. Eine Klavierspielerin _____
5. Ein _Kursteilnehmer_ _____ ist ein Mann. Er nimmt an einem Kurs teil.
6. Ein Jeansträger _____
7. Eine Marathonläuferin _____

16 **Was ist für Menschen gut (+), was ist schlecht (–)? Ergänze die Symbole.**

Angst ◯   Glück (+)   Toleranz ◯
Respekt ◯   Pech ◯   Problem ◯

17 **Was bedeuten die <u>unterstrichenen</u> Ausdrücke? Kreuze an.**

1. Jugendliche <u>ab 13 Jahren</u> dürfen den Film sehen.
   (a) Jugendliche bis 13 Jahre   (b) Jugendliche, wenn sie 13 Jahre und älter sind

2. Susi trinkt Apfelsaft. Pauline trinkt <u>das gleiche Getränk</u>.
   (a) Pauline trinkt auch Apfelsaft.   (b) Pauline trinkt keinen Apfelsaft.

3. Du hast ja <u>wieder</u> deine Hausaufgaben nicht gemacht.
   (a) auch heute   (b) zum ersten Mal

18 **Beschreib das Foto. Verwende möglichst viele Wörter.**

> Menschen • sich treffen • machen das Gleiche •
> synchron • tanzen • Respekt • Toleranz • Platz • …

....
....
....
....
....
....

↓ NACH AUFGABE 10 ▎

GRAMMATIK

19a **Was passt zusammen? Verbinde.**

1. Während <u>des Flashmobs</u>   (a) haben die Tänzer geübt.
2. Während des Castings   (b) sind viele Menschen umgefallen und haben geschlafen.
3. Während der Probe   (c) dürfen Schüler nicht zusammenarbeiten.
4. Während der Prüfungen   (d) haben Sänger und Schauspieler ihr Talent gezeigt.

b **Unterstreiche in 19a die bestimmten Artikel und die Nomen wie im Beispiel.
Ergänze dann die Regeln.**

während + *Genitiv*	während	*des* Flashmobs
		.... Castings
		.... Probe
		.... Prüfungen

> Wenn du sprichst, kannst du auch den Dativ verwenden, zum Beispiel: *Ich war während dem Casting sehr nervös.*

temporale Präposition während

Nach der temporalen Präposition *während* stehen Artikel und Nomen im ....
Das maskuline und das neutrale Nomen erhalten die Endung ....

20 Ergänze die Artikel und die Nomen im Genitiv.

1. Während *einer Sonnenfinsternis* (Sonnenfinsternis) wird es dunkel und still.

2. ■ Im Kino hat mein Nachbar während *des Films* (Film) ganz laut Chips gegessen. [der]
   Das hat mich total genervt. *irritate*

3. Professor Becker hat während *sein Vortrags* (Vortrag) viele interessante Fotos gezeigt. [der]

4. ▲ Während *des Konzert* (Konzert) dürfen Sie keine Videos drehen. [das]

5. ▼ Wir müssen während *der Ferien* (Ferien) zwei Bücher lesen: einen Roman für den [die/pl]
   Deutschunterricht und einen für den Englischunterricht.

6. ● Ihr dürft während *der Klassenarbeit* (Klassenarbeit) keine Bücher, Hefte [die]
   und Handys benutzen. *use*

7. Während *des Castings* (Casting) hat das Publikum nett reagiert. [das]

21 Was machen die Leute? Schreib Sätze mit *während* in dein Heft.

⊕

 A

 B

 C

Während des Popcorn
möchte sie .

Während der Klassenarbeit
keine Bücher, Hefte und
Hefte und Handys benutzen.

Während der Pause

AUSSPRACHE

22a Wortakzent bei trennbaren und nicht trennbaren Verben: **Hör zu, klopf mit und sprich nach.**

1 🔊

1. aufstehen – ich stehe <u>auf</u> – ich bin <u>auf</u>gestanden
2. mitbringen – ich bringe mit – ich habe mitgebracht
3. wegfahren – ich fahre weg – ich bin weggefahren
4. besorgen – ich besorge – ich habe besorgt
5. sich verabreden – ich verabrede mich – ich habe mich verabredet
6. verkaufen – ich verkaufe – ich habe verkauft

✂ trennbar	nicht trennbar
<u>auf</u>stehen	er<u>zäh</u>len
<u>mit</u>bringen	be<u>sor</u>gen

auf-ste-hen

b **Hör noch einmal und unterstreiche in 22a den Wortakzent wie im Beispiel.**

1 🔊

23 **Hör zu und sprich nach.**

2 🔊

Mein Samstag
spät aufgewacht und sofort aufgestanden
gefrühstückt und das Zimmer aufgeräumt
um 16 Uhr bei Freunden zum Geburtstag eingeladen
schnell eingekauft und ein Geschenk besorgt
mit einer Freundin verabredet
am Bahnhof abgeholt und zur Party mitgenommen
Chips und Cola mitgebracht
viel erzählt, gelacht und getanzt
spät eingeschlafen

Das sind deine Wörter!

die Heizung, -en ....

Machen Sie nachts immer die ~ aus.

raten (er/es/sie rät, riet, hat geraten) ....

■ Ich ~ Ihnen, nachts die Heizung auszumachen.

besorgen ....

Fabio soll nicht vergessen, Milch zu ~.

der Lärm (nur Sg.) ....

◆ Macht bitte nach 22 Uhr keinen ~ mehr.

aus|machen ....

▲ Der Fernseher ist noch an. Kannst du ihn bitte ~? Ich möchte schlafen.

das Licht, -er ....

Das ~ ist an.

vor|haben (er/es/sie hatte vor, hat vorgehabt) ....

● Ich ~ ~, meinen Geburtstag dieses Jahr ganz groß zu feiern.
◆ Oh, toll! Wann findet die Party statt?

planen ....

= vorhaben

aus|gehen (er/es/sie ging aus, ist ausgegangen) ....

▼ Möchtest du heute noch ~?
● Ja, ich möchte noch ins Kino gehen.

Zähne putzen ....

Es ist wichtig, nach dem Essen die ~ zu ~.

tragen (er/es/sie trägt, trug, hat getragen) ....

◆ Kannst du auch ein paar Flaschen ~? Sie sind so schwer.
● Natürlich, warte! Ich helfe dir.

---

brauchen + nur ... zu + Infinitiv

◆ Ich mache morgen eine Party!
■ Super! Du ~ es ~ ~ sagen und ich komme sofort und helfe.

brauchen + nicht/kein- ... zu + Infinitiv

● Ich mache eine Party. Kommst du mit zum Einkaufen?
▲ Ja, natürlich, dann ~ du die schweren Taschen ~ allein ~ tragen.

Bescheid sagen ....

◆ Tim, bitte ~ den Nachbarn ~, dass wir heute Abend eine Party feiern.

übernehmen (er/es/sie übernimmt, übernahm, hat übernommen) ....

▲ Wer kauft die Getränke für die Party?
▼ Das kann ich ~!

übernachten ....

Fabios Eltern kommen nicht nach Hause. Sie wollen bei Tante Stefanie ~.

weg|fahren (er/es/sie fährt weg, fuhr weg, ist weggefahren) ....

Fabios Eltern wollen ~. Sie fahren zu Tante Stefanie.

gleich- ....

Susi und Pauline trinken das ~e Getränk. = Susi trinkt Apfelsaft und Pauline trinkt auch Apfelsaft.

der Flashmob, -s

- Was ist ein ~?
- Viele Menschen machen am gleichen Ort zur gleichen Zeit das Gleiche.

der Autofahrer, - /
die Autofahrerin, -nen

Die ~ können nicht auf den Südplatz fahren, denn dort findet ein Flashmob statt.

der Tanz, ⸚e

tanzen → der Tanz

der Artikel, -

Der Journalist schreibt einen ~ für die Zeitung.

es geht um ...

In dem Zeitungsartikel ~ ~ ~ den Flashmob in Leipzig.

die Choreografie, -n

Beim Flashmob tanzen alle zur gleichen ~.

synchron

Beim Tanzen machen alle das Gleiche. Alle tanzen ~.

um|fallen (er/es/sie fällt um, fiel um, ist umgefallen)

Bei einem Flashmob ~ viele Menschen einfach ~ und haben geschlafen. (*Perfekt*)

das Fast-Food (nur Sg.)

In einem ~-Restaurant kann man Hamburger essen.

die Aktion, -en

Vor einem Flashmob hat jemand eine Idee für die ~ und informiert auch andere.

sich verabreden

Die Flashmob-Teilnehmer ~ ~ im Internet.

die sozialen Medien (nur Pl.)

Die Teilnehmer verabreden sich in ~ ~, z.B. in Facebook.

der Respekt (nur Sg.)

(die) Toleranz (nur Sg.)

Die Jugendlichen tanzen für Respekt und ~.

ab ... Jahren

Jugendliche ~ 13 ~ dürfen diesen Kinofilm sehen. Das heißt, sie müssen 13 Jahre oder älter sein.

wieder

- Du hast ja schon ~ deine Hausaufgaben nicht gemacht. Das ist jetzt das dritte Mal in dieser Woche!

während + *Genitiv*

~ des Flashmobs haben alle zur gleichen Choreografie getanzt.

die Probe, -n

Während der ~ für den Flashmob haben alle die Choreografie geübt.

der Stadtteil, -e

Die Flashmob-Teilnehmer kommen aus verschiedenen ~n Leipzigs.

besonders

Die Choreografie ist dieses Mal ~ schön.

Wir kaufen nichts!

1 Was passt? Ordne zu und ergänze den Artikel.

> Kaufhaus × Supermarkt × Zeitung × Süßigkeiten × Hamburger × Geschäft ×
> Preis × Magazin × Portemonnaie × Kiosk × Buch × Bank × Zeitschrift

1. Da kann man einkaufen:

das | K¹ | A | U | F | H | A | U | S

3. Das kann man lesen:

die | Z

2. Das kann man essen:

Lösungswort: der K¹ | 2 | 3 | 4 | 5 | 6

4. Das hat mit Geld zu tun:

2a Welches Verb passt? Unterstreiche.

1. ● Und? Wie gefällt dir dein Ferienjob?
   ◆ Er macht Spaß und ich kann ein bisschen Geld für ein neues Fahrrad <u>sparen</u> / kaufen .
2. ▲ Wie viel Geld willst du für das Geburtstagsgeschenk ausgeben / schenken ?
   ■ Hm, nicht so viel. Vielleicht so zehn Euro.
3. ● Ich möchte gern bis Ostern auf mein Smartphone verzichten / kaufen .
   ◆ Warum denn das?! Ich könnte ohne mein Handy nicht leben.
4. ● Hast du das auch im Radio gehört? Über 2000 Menschen wollen morgen in der Stadt
   gegen das neue Kaufhaus schimpfen / protestieren .
   ▲ Das finde ich gut! Das brauchen wir hier sowieso nicht.
5. ◆ Wollen wir am Samstag zusammen in die Stadt gehen und ein bisschen shoppen?
   ▼ Lieber nicht. Eigentlich brauche ich nichts und außerdem möchte ich versuchen,
   weniger zu konsumieren / verzichten .

b Lies noch einmal die Sätze in 2a und ergänze die Präpositionen.

1. verzichten .... (+ Akkusativ)
2. protestieren .... (+ Akkusativ)
3. Geld ausgeben .... (+ Akkusativ)

c Was machst du, wenn du Geld brauchst? Ergänze.

1. Ich spare *mein Taschengeld* ....
2. Ich gebe weniger Geld .... aus.
3. Ich verzichte ....
4. Ich ....

3 **Wie lange kannst du darauf verzichten? Verwende die Wörter. Ergänze.**

gar nicht • eine Stunde lang • einen Tag lang • eine Woche lang • einen Monat lang • ein Jahr lang

1. Fernseher: ....
2. Fahrrad: ....
3. Internet: ....
4. Kino: ....

5. Schokolade: ....
6. Smartphone: ....
7. Fleisch: ....
8. Theater: ....

↓ NACH AUFGABE 4

4 **Schreib die Verben richtig. Schreib dann Sätze in dein Heft.**
1. über ein Thema *nachdenken* (DENNACHKEN)
2. Geld für etwas .... (GEAUSBEN)
3. ein Thema im Unterricht .... (DELNHANBE)
4. Erfahrungen mit jemandem .... (LENTEI)
5. eine Umfrage .... (CHENMA)

1. Ich denke über das Thema „Umweltschutz" nach.
2. ...

5 **Ergänze die Wörter in der richtigen Form.**

reichen × ausgeben × nähen × Werbung × überlegen ×
~~behandeln~~ × Umfrage × konsumieren × jobben × Sucht

Realschule in Menningen zum Thema „Konsum"

Die Klasse 8c hat im Unterricht das Thema „Konsum" *behandelt* (1). Die Schüler haben sich für die Frage interessiert, was und wie Jugendliche .... (2). Also haben sie eine .... (3) gemacht und ihren Mitschülern folgende Fragen gestellt:
• Wie viel Taschengeld bekommst du?
• .... (4) das Taschengeld oder hättest du gern mehr?
• Was kaufst du von deinem Taschengeld?
• .... (5) du genau, warum du etwas kaufst?
• Kaufst du manchmal Sachen, weil dir die .... (6) gut gefällt?
• Wofür .... du am meisten Geld .... (7)?
• .... (8) du manchmal in den Ferien, wenn du mehr Geld brauchst?

Besonders interessant waren für die Schüler die Antworten auf die dritte Frage. Das meiste Geld geben Jugendliche für Süßigkeiten aus. Für viele sind Süßigkeiten wie eine .... (9). Interessant war auch: Ein paar Mädchen .... (10) manchmal Kleidungsstücke selbst, weil das Spaß macht und sie nicht so viel Geld haben.

GRAMMATIK

6a Wozu jobben die Jungen? Schau die Bilder A–C an und ordne die Sätze 1–3 zu.

1. Ⓒ Finn jobbt bei seinem Vater im Büro, damit er ein Saxofon kaufen kann.
2. ◯ Leon jobbt im Supermarkt, damit sein Geld für ein neues Mountainbike reicht.
3. ◯ Tom hilft seinem Opa im Garten, damit er genug Geld für ein neues Smartphone hat.

b Wozu jobbt Finn? Lies Satz 1 aus **6a** noch einmal und ergänze.

	Wozu?	Ende
Finn jobbt bei seinem Vater im Büro.	Er kann ein Saxofon kaufen .	
Finn jobbt bei seinem Vater im Büro,	er ein Saxofon kaufen	.

c Ergänze die Regel und unterstreiche.

> *finaler Nebensatz mit Konjunktion* damit
>
> Der *damit*-Satz ist ein Hauptsatz / Nebensatz . Das konjugierte Verb steht am ....

7a Was passt zusammen? Verbinde.

1. Timo kauft Getränke ein.
2. Sonia steht früh auf.
3. Lars macht immer seine Hausaufgaben.
4. Pia trainiert viel.

- ⓐ Sie ist pünktlich in der Schule.
- ⓑ Sie wird eine berühmte Sportlerin.
- ⓒ Er und seine Freunde können eine Party machen.
- ⓓ Seine Noten werden besser.

b Verbinde die Sätze in **7a** mit *damit*. Schreib in dein Heft.

> *1. Timo kauft Getränke ein, damit ...*

8 Ergänze die *damit*-Sätze.

1. Ich brauche unbedingt Licht, *damit ich* ....
2. Wir müssen uns beeilen, ...
3. Du musst dich warm anziehen, ...
4. Ich mache das Licht aus, ...

9 Wozu machst du das? Schreib Sätze mit *damit* in dein Heft.

> früh aufstehen • Bücher lesen • meiner Mutter / meinem Vater helfen •
> meinen Freunden etwas zum Geburtstag schenken • den Computer anmachen • ...

> *Ich stehe früh auf, damit ich vor dem Unterricht frühstücken kann.*

↓ NACH AUFGABE 6

10 **Lös das Rätsel und ergänze das Lösungswort.**

Experiment × Journalist × Urlaub × Gegenteil ×
Verhalten × Held × Leben × Kreditkarte × Welt

behavior

1. J O U R N A L I S T
2. L e b e n
3. H e i d
4. g e g e n t e i l
5. W e l t
6. E x p e r i m e n t
7. U r l a u b
8. V e r h a l t e n
9. k r e d i t k a r t e

1. Ich schreibe gern Artikel für die Schülerzeitung und möchte später mal … werden.
2. Herr Beck hat sehr viel Geld und muss gar nicht arbeiten. Ist das nicht ein schönes …?
3. Ich finde, Nelson Mandela war sehr mutig, ein richtiger …!
4. Der neue Physiklehrer ist viel zu streng. Ich finde sein … nicht gut.
5. Ich reise gern ins Ausland, denn ich möchte am liebsten die ganze … kennenlernen.
6. Wir machen in der Schule gerade ein … Wir dürfen einen ganzen Tag lang das
   Handy nicht benutzen.
7. Morgen fangen die Ferien an und ich mache mit meinen Eltern in Italien …
8. Ich finde, dass Geld nicht glücklich macht. Im … ! Zu viel Geld macht unglücklich.
9. Mein Vater hat kein Geld dabei, er bezahlt mit seiner …

Lösungswort:

A b e i t e u e r
1 2 3 4 5 6 7 8 9

11 **Ergänze die Buchstaben.**

◆ Hast du schon gehört? Susa und Till wollen nach dem Abitur
  eine große Reise nach Südamerika machen und dort jobben.

■ Ganz schön ____ u t g (1)! Das ist bestimmt spannend.
  Ich würde auch gern mal so ein ____ b ____ nt ____ r (2) erleben.

◆ Hm, ich weiß nicht. Sie haben ja nicht viel Geld. Ich glaube, so
  eine Reise ist w ____ hns ____ nn ____ g (3) anstrengend. Ich will
  mich auf einer Reise ____ rh ____ l ____ n (4). Da möchte ich wirklich
  ____ rl ____ b (5) machen. Das ist j ____ d ____ nf ____ lls (6) meine Meinung.

■ Das ist natürlich w ____ hr (7). Aber ____ b ____ rl ____ g (8) doch
  mal: Das ist mal etwas ganz anderes als s ____ nst (9). Man lernt
  interessante Menschen kennen und arbeitet mit ihnen zusammen.

◆ Ja, vielleicht hast du recht.

12a Maja möchte ein Jahr lang als Gastschülerin im Ausland zur Schule gehen. Lies die Sätze und verbinde.

1. Maja hat lange im Internet gesucht,   (a) um die Gastfamilie besser kennenzulernen.

2. Sie hat viele E-Mails geschrieben,   (b) um eine Gastfamilie zu finden.

3. Sie hat viele neue Vokabeln gelernt,   (c) um die Sprache besser sprechen zu können.

b Lies Satz 1 aus **12a** noch einmal und ergänze.

> Wozu?
>
> Maja hat lange im Internet gesucht, *um* eine Gastfamilie *zu* finden.
>
> = Maja hat lange im Internet gesucht, damit sie eine Gastfamilie findet.

> Die Konjunktionen *damit* und *um ... zu* haben dieselbe Bedeutung.

c Lies in **12b** den *um ... zu*-Satz, dann die Regel und unterstreiche.

> *finaler Nebensatz mit Konjunktion* um ... zu
>
> Das Subjekt im Hauptsatz und im Nebensatz ist gleich/nicht gleich .

d Schreib die *um ... zu*-Sätze 1–3 aus **12a** in das Schema.

Hauptsatz	*finaler Nebensatz mit Konjunktion* um ... zu		
		Ende	*finden*
1. ...,	um eine Gastfamilie	zu	~~besser kennenzulernen~~
2. ...,	um die Gastfamilie besser		besser zu kennenlernen
3. ...,	um die Sprache besser sprechen	~~sprechen~~ sie	zu können

> Weißt du noch? *zu + Infinitiv* steht am Ende. Bei den trennbaren Verben (✂) steht *zu* zwischen Vorsilbe und Verb (*kennenzulernen*).

13 Wozu machen die Leute das? Verbinde die Sätze mit *um ... zu*. Schreib in dein Heft.

1. Wir fahren ans Meer. (→ baden und Ausflüge machen)
2. Max steht sehr früh auf. (→ nicht zu spät kommen)
3. Pia schreibt eine E-Mail an ihre Tante. (→ ihr zum Geburtstag gratulieren)
4. Yannik jobbt in den Ferien. (→ ein bisschen Geld verdienen)
5. Tina fährt mit dem Bus zum Bahnhof. (→ ihre Freundin abholen)
6. Mara geht in den Supermarkt. (→ Getränke kaufen)
7. Theo macht sehr lange Hausaufgaben. (→ nicht mit Eltern spazieren gehen)

> *1. Wir fahren ans Meer, um zu baden und Ausflüge zu machen.*

14a Welche Sätze kannst du mit *um ... zu* verbinden?
Achte auf das Subjekt. Kreuze an.

> *Damit* kannst du immer sagen.
> *Um ... zu* nur, wenn das Subjekt gleich ist.

1. Lara braucht keine Uhr. → Sie ist pünktlich. ⓧ
2. Olli macht einen Sprachkurs in England. → Seine Noten werden besser. ◯ *grade*
3. Tina möchte nach der Schule Biologie studieren. → Sie möchte Naturwissenschaftlerin werden. ◯
4. Elisa möchte nach der Schule ins Ausland gehen. → Sie hat später bessere Berufschancen. ◯
5. Julia geht abends immer früh nach Hause. → Ihre Eltern haben keine Angst. ⊗
6. Benjamin macht viele Reisen. → Er lernt die Welt kennen. ◯ ✓

b Verbinde die Sätze mit *um ... zu*, wo möglich. Verbinde alle anderen Sätze mit *damit*. Schreib in dein Heft.

> 1. Lara braucht keine Uhr, um pünktlich zu sein.
> 2. Olli ...

15 Wozu machen Menschen Sport? Schreib vier Sätze mit *um ... zu* in dein Heft.

> Menschen machen Sport, um ... zu ...

⬇ NACH AUFGABE 7

16 Ergänze die zusammengesetzten Wörter mit Artikel.

karte (2x) ✕ marke ✕
bürste ✕ apparat ✕ reise

> Erinnerst du dich?
> Welt + Reise → die Weltreise

1. die Weltreise
2. .... Foto
3. .... Land
4. .... Brief
5. .... Kredit
6. .... Zahn

⬇ NACH AUFGABE 8

17 Was passt wo? Ordne zu und schreib in dein Heft.

Das ist richtig. ✕ Das glaube ich nicht. ✕ Das sehe ich genauso. ✕
Da bin ich anderer Meinung. ✕ Das sehe ich auch so. ✕ Da bin ich deiner Meinung. ✕
Da hast du recht. ✕ Das stimmt doch nicht. ✕ Das finde ich toll.

dafür sein ☺	dagegen sein ☹
Das ist richtig.	Das glaube ich nicht.

18 Wie ist die Meinung der Jugendlichen? Lies den Dialog und ergänze.

> Hm, ich weiß nicht. ✖ Da hast du recht. ✖
> ~~Ich frage mich, warum Profi-Fußballer so viel Geld bekommen.~~ ✖
> Meiner Meinung nach ist das unfair.

Samy: *Ich frage mich, warum Profi-Fußballer so viel Geld bekommen.* (1) Das ist doch ein

Beruf wie jeder andere.

Ohle: _____ (2) Die Spieler müssen doch

hart trainieren und ihre Karriere ist sehr früh zu Ende. Sie brauchen viel Geld.

Samy: _____ (3) Aber in vielen Berufen

muss man sehr hart arbeiten und bekommt weniger Geld. _____

_____ (4)

Ohle: Ja, das stimmt schon.

SCHREIBTRAINING

19 Lies den Forumsbeitrag. Sammle Argumente und schreib eine Antwort
in dein Heft. Die Ausdrücke in **17** und **18** helfen dir.

Tim

12.5.
18:22 Uhr

Hey Leute! Eine Woche ohne Handy oder Smartphone: Könnt ihr
euch das vorstellen? Ich finde das spannend und möchte dieses
Experiment unbedingt machen. Wie findet ihr das? Wer macht
mit? Schreibt mir doch eure Meinung.

AUSSPRACHE

20 Satzakzent: **Hör zu und sprich nach.**

😐
1. <u>Mei</u>ner Meinung nach …
2. Ich <u>den</u>ke, …
3. Ich <u>glau</u>be, …
4. Ich <u>fin</u>de, …

🙂
5. Das ist <u>rich</u>tig.
6. Das sehe ich ge<u>nau</u>so.
7. Da hast du <u>recht</u>.
8. Das <u>stimmt</u>.

🙁
9. Da bin ich <u>an</u>derer Meinung.
10. Das sehe ich <u>nicht</u> so.
11. Das finde ich <u>nicht</u>.
12. Das ist <u>nicht</u> richtig.

21a **Hör zu und unterstreiche den Satzakzent wie in 20.**

■ Meiner Meinung nach ist das richtig.
◆ Wie bitte? Aber warum? Das sehe ich nicht so.
■ Doch, doch, das stimmt. Es tut mir leid, aber
ich habe recht.
◆ Nein, das finde ich nicht! Da bin ich anderer
Meinung. Ich denke, das ist nicht richtig.

b **Sprecht den Dialog aus 21a zu zweit.**

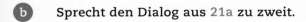

Das sind deine Wörter!

✂ aus|geben (er/es/sie gibt aus, gab aus, hat ausgegeben)   *output*   Die Schüler wollen ~~weniger~~ fewer Geld ~.

konsumieren   *Consu*   ◆ Ich möchte ab jetzt weniger ~.
▲ Dann musst du weniger Dinge kaufen.

der Konsum (nur Sg.)   *consumption*   konsumieren → der Konsum

einen Tag lang   *a day long*   Am Kauf-Nix-Tag darf man ~ ~ ~ nichts kaufen.

Am Kiosk

(die) Süßigkeiten (nur Pl.) *sweets*   die Zeitschrift, -en *magazine*   das Magazin, -e *magazine*

verzichten auf + *Akkusativ*   *envy*   ■ Ich möchte eine Woche lang ~ Süßigkeiten ~.

gegen + *Akkusativ*   *against*   Die Schüler wollen am „Kauf-Nix-Tag" ~ Konsum protestieren.

behandeln   *to treat*   ● Wir ~ heute im Unterricht das Thema „Konsum" ~. (*Perfekt*)

überlegen   *think*   Die meisten Menschen ~ nicht, wenn sie etwas kaufen. Sie kaufen es einfach.

die Umfrage, -n *survey*   *survey*   ■ Wir haben an unserer Schule eine ~ zum Thema „Konsum" gemacht.

die ~~Sucht~~, -e *investigation*   *investigation*   Einkaufen ist für Mina wie eine ~. Sie kann einfach nicht aufhören.

die Werbung, -en *advertising*   *advertising*   ● Kaufst du manchmal Sachen, weil dir die ~ gefällt?

✂ nach|denken über + *Akkusativ* (er/es/sie dachte nach, hat nachgedacht)   *thought / ~*   ▲ Ich ~ viel ~ das Thema „Konsum" ~.

wozu   *what for?*   ■ ~ schreibt Mina einen Blog?
● Sie schreibt den Blog, damit die Leute beim Einkaufen mehr nachdenken.

selbst   *even*   ▲ Haben Sie die Tasche gekauft oder ~ gemacht?

das Kleidungsstück, -e *clothing piece*   *clothing piece*   ◆ Gehst du oft shoppen?
■ Nein, ich mache viele ~ selbst.

nähen *sew*   *Sewing*   Mina Waller ~ selbst Kleidungsstücke.

reichen *suffice*   *Suffice*   Frederick hat nicht mehr genug Geld für Geschenke. = Sein Geld ~ nicht für Geschenke.

die Erfahrung, -en   *experience*   Während der Shopping-Pause hat Mina interessante ~ gemacht.

teilen *divide*   *divide*   Mina möchte ihre Erfahrungen mit anderen Leuten ~. Deshalb schreibt sie einen Blog.

damit   *in order to*   Frederick fährt Fahrrad, ~ die Umwelt sauber bleibt.

🌐 jobben   *casual work*   der Job → jobben

der Held, -en   *hero*

der Journalist, -en /
die Journalistin, -nen

the journalist

das Verhalten (nur Sg.)

behavior

▼ Ich finde dein ~ ziemlich egoistisch!

die Welt, -en

the world

▼ Nach der Schule möchte ich die ganze ~ kennenlernen.

erleben

experience

● Auf meiner Weltreise möchte ich ganz viel ~.

das Abenteuer, -
adventure

the adventure

◆ Ich möchte ganz viele ~ erleben.

mutig

courageous

■ Tobias macht eine Weltreise, ganz ohne Geld. Das finde ich sehr ~.

das Experiment, -e

the experiment

---

die Meinung, -en

■ Wie ist eure ~ zum Kauf-Nix-Tag?

◆ Meiner ~ nach ist das eine gute Idee. Wir konsumieren viel zu viel.

▲ Da bin ich anderer ~. Ohne Shoppen ist das Leben doch langweilig.

---

das Leben, - | leben → das Leben

the life

▼ Geld ist nicht alles. Es gibt Wichtigeres im ~.

jedenfalls

definitely

◆ Eine Reise darf nicht anstrengend sein. Das ist ~ meine Meinung.

sonst

otherwise

Wenn man reist, lernt man ganz andere Leute kennen als ~.

das Gegenteil, -e
opposite

the opposite (n)

Geld macht nicht glücklich. Im ~: Zu viel Geld macht unglücklich.

wahr

true

Mein Traum ist ~ geworden: Ich mache nächsten Monat eine Weltreise.

wahnsinnig

insane

● Die Reise war ~ anstrengend.

> Du weißt schon: Zusammengesetzte Nomen bekommen den Artikel von Nomen 2.

der Urlaub, -e

die Kreditkarte, -n   die Briefmarke, -n   die Postkarte, -n   die Landkarte, -n   der Fotoapparat, -e

---

sich erholen

to recover

● Ich möchte in der Sonne liegen und ~ ~.

um ... zu

in order to

◆ Ich fahre in den Urlaub, ~ mich ~ erholen.

die Zahnbürste, -n

the toothbrush

▼ Wo ist meine ~? Ich will Zähne putzen.

begrüßen

welcome

▲ Wir möchten Sie ganz herzlich zu unserer Talkshow ~.

der Gast, -̈e

the Guest

▼ Herzlich willkommen bei „Live aus Köln". Unsere ~ heute ...

Das würde ich nie tun!

↓ NACH AUFGABE 1

1 **Ergänze das passende Nomen und den Artikel.**

1. meinen → *die Meinung*
2. erklären → _____
3. (sich) entschuldigen → _____
4. einladen → _____

> Viele Nomen auf –*ung* kommen von Verben. Nomen auf –*ung* sind immer feminin (*die Meinung*).

↓ NACH AUFGABE 3

2 **Ordne die Verben den passenden Präpositionen zu.**

> sich aufregen ✕ sich erinnern ✕ sich ärgern ✕ denken ✕ ausgeben ✕ sauer sein ✕ sprechen ✕ sich streiten (2x) ✕ sich entschuldigen

1. *sich streiten* _____ mit (+ *Dativ*)
2. _____ / _____ für (+ *Akkusativ*)
3. _____ / _____ an (+ *Akkusativ*)
4. _____ auf (+ *Akkusativ*)
5. _____ / _____ / _____ über (+ *Akkusativ*)

> Lern die Verben mit der Präposition und dem Fall (*Dativ* oder *Akkusativ*). Du findest eine Liste mit Verben auf Seite 103.

3a **Was ist richtig? Ergänze.**

> heute ✕ morgen

1. _____ ist mein Geburtstag. Ich freue mich über die Geschenke.

2. _____ ist mein Geburtstag. Ich freue mich auf die Geschenke.

> *sich freuen auf* ≠ *sich freuen über*
> Übersetze die Sätze 1 und 2 in deine Sprache.

b **Ergänze *auf* oder *über*.**

1. Lea hat viele schöne Sachen bekommen. Sie freut sich _____ die Geschenke.
2. Daniel hat nächste Woche Geburtstag. Er freut sich _____ seine Party.
3. Felix hat sich am Samstag mit Fanny verabredet. Er freut sich _____ das Wochenende.
4. Heute scheint die Sonne. Lidia freut sich _____ das schöne Wetter.

4 Lies die E-Mail und ergänze die Präpositionen.

> an (3x) ✳ auf (1x) ✳ für (2x) ✳ ~~mit~~ (1x) ✳ über (2x)

Hi Luca,

wie geht's? Alles klar? Ich hatte diese Woche ziemlich viel Stress: Gestern habe ich mich mal wieder _mit_ (1) meinen Eltern _____ (2) mein Taschengeld gestritten. Sie sagen, dass ich viel zu viel Geld _____ (3) Computerspiele ausgebe. Ich habe mich sehr _____ (4) sie geärgert, besonders sauer war ich _____ (5) meine Mutter: Sie könnte sich doch auch mal _____ (6) meine super Noten in Sport erinnern! Aber für Mama zählt nur eine Eins in Mathe ... Na ja, ich bin ziemlich sauer geworden und musste mich dann _____ (7) mein Ver-halten entschuldigen. Hast du auch manchmal so einen Stress mit deinen Eltern??? Ich denke übrigens immer noch _____ (8) das tolle Wochenende im Sportcamp und _____ (9) die netten Leute dort. Das machen wir nochmal, ja?
Dein Tom

5a Lies die Mail in **4** noch einmal. Beantworte dann die Fragen.

1. <u>Mit wem</u> hat sich Tom gestritten? _Mit seinen Eltern._
2. <u>Worüber</u> haben sie sich gestritten? _____
3. Wofür gibt Tom zu viel Geld aus? _____
4. Auf wen ist Tom besonders sauer? _____
5. Woran denkt Tom immer noch? _____
6. An wen denkt er? _____

b Unterstreiche in den Fragen in **5a** die Fragewörter wie in den Beispielen und ergänze die Tabelle.

Fragewort Wo(r) + Präposition		
sich streiten über	● _Worüber_ habt ihr euch gestritten?	◆ Über doofe Sachen.
ausgeben für	▲ _____ gibst du Geld aus?	● Für DVDs.
denken an	■ _____ denkst du?	▲ An unsere Reise.
(!) bei Personen:		
sich streiten mit	◆ _Mit wem_ hast du dich gestritten?	● Mit meinem Bruder.
sauer sein auf	● _____ bist du sauer?	▲ Auf dich.
denken an	■ _____ denkst du?	▬ An meine Freunde.

6a Was ist richtig? Unterstreiche.

1. ● Woran / Wofür / Worüber denkt Carla?   ▬ An Nicks SMS.
2. ◆ Mit wem / Worauf / Worum kann Lina nicht verzichten?   ▲ Auf ihr Smartphone.
3. ▲ Woran / Worum / Womit beschäftigt sich Moritz gern?   ● Mit Pflanzen und Tieren.
4. ● Wogegen / Wobei / Wofür protestiert die Klasse 8b?   ▬ Gegen die vielen Hausaufgaben.
5. ◆ Worauf / Auf wen / Womit ist Florian manchmal sauer?   ▬ Auf seinen Trainer.

b Schau noch einmal die Fragewörter in **6a** an. Wo steht ein *r*? Streich die falschen Fragewörter durch und schreib sie richtig.

> Wenn die Präposition mit einem Vokal (*a, o, ...*) beginnt, musst du beim Fragewort ein *r* einfügen: *wo+an → woran*

1. ~~woan~~ _woran_
2. woüber _____
3. wofür _____
4. womit _____

7 **Lies den Dialog und ergänze die Fragen.**

+

■ Du hast aber lange telefoniert! <u>Mit wem</u> hast du denn geredet (1)?

◆ Mit Sarah.

■ <u>Worüber</u> _____ (2)?

◆ Über ihre Probleme mit Ben. Er war gestern ziemlich blöd.
Sie will, dass er sich entschuldigt.

■ _____ (3)?

◆ Für eine ganz blöde SMS. Er wollte sie ärgern und hat ihr geschrieben,
dass er sich auch noch für ein anderes Mädchen interessiert.

■ Waaas? _____ (4)? Etwa für die hübsche Eva aus der 9a???

◆ Ach, das stimmt doch gar nicht. Er interessiert sich wirklich nur für Sarah!

↓ NACH AUFGABE 5 |

8 **Was ist richtig? Unterstreiche.**

1. ▲ Bitte gib mir mein Handy zurück. Sei nicht gemein / ruhig !

2. ● Hier kannst du doch keine Graffitis machen, du Mensch / Idiot ! Das ist verboten!

3. ■ Ich verstehe ja, dass du dich aufregst. Aber jetzt beruhige / ärgere dich doch mal!

GRAMMATIK

9a **Lies die E-Mail. Wofür stehen die markierten Wörter? Markiere die Bezugswörter.**

Hallo Cousine,
wir sind gut wieder zu Hause angekommen, aber ich sage es dir gleich:
Die Reise nach Ägypten war ziemlich schrecklich, ich muss dir unbedingt
davon (1) erzählen:
Sie hat schon doof angefangen, denn wir mussten umsteigen und unser
Gepäck ist nicht mitgekommen. Total blöd. Das Hotel war auch furchtbar.
Unsere Zimmer waren ganz klein und dunkel. Papa wollte andere Zimmer
haben, aber der Reiseleiter hat nicht reagiert. Papa war total sauer
auf ihn (2). Der Typ war sowieso unmöglich: Er hat total viel geredet,
und wenn die Leute Fragen hatten, konnte er nicht darauf (3) antworten.
Sein Thema waren immer nur seine Sprachen. (Angeblich kann er zehn.)
Er hat überhaupt nicht aufgehört, darüber (4) zu reden. Aber über
Ägypten konnte er nicht viel sagen. Papa sagt, so eine Reise macht er
nie wieder!
Kommst du übrigens zu Omas Geburtstag? Ich freue mich schon darauf (5),
es wird bestimmt wieder lustig. Bis bald hoffentlich.
Deine Isabella

b **Ergänze die Tabelle mit Wörtern aus 9a.**

da+auf → darauf

	Pronomen da(r) + Präposition	
erzählen von	Die Reise nach Ägypten war schrecklich. Ich erzähle dir <u>davon</u>	
antworten auf	Wir hatten Fragen. Er hat nicht _____ geantwortet.	
reden über	Sein Thema waren seine Sprachen. Er hat viel _____ geredet.	
	(!) bei Personen:	
sauer sein auf	Der Reiseleiter hat nicht reagiert. Wir waren sauer _____ .	

10 Ergänze.

> darauf ✕ ~~darüber~~ ✕ damit ✕ davon ✕ dafür

- ■ Habt ihr über die Klassenfahrt gesprochen? ▲ Noch nicht, wir reden morgen *darüber* (1).
- ▲ Ella hatte ein schreckliches Wochenende. ■ Ja, sie hat mir auch _____ (2) erzählt.
- ● Svenja hat mich gefragt, welchen Jungen in der Klasse ich süß finde. ● So eine blöde Frage!
  Was hast du denn _____ (3) geantwortet?
- ■ Marvin weiß unheimlich viel über deutsche Geschichte. ■ Ja, er interessiert sich sehr
  _____ (4) und beschäftigt sich schon ganz lange _____ (5).

11 Lies den Dialog und ersetze die Satzteile in Klammern durch ein Pronomen mit Präposition.

Nick: Stell dir vor, Lukas, Carlas neue Sportschuhe haben 150 Euro
gekostet! Carla ist doch verrückt. Sie kann doch *dafür*
(*für Sportschuhe*) (1) nicht so viel Geld ausgeben!

Lukas: Na ja, ich verstehe, dass du dich _____ (*über Carla*) (2)
ärgerst. Aber du kaufst dir doch manchmal auch teure Sachen,
zum Beispiel deine Computerspiele. Könntest du _____
(*auf die Spiele*) (3) verzichten?

Nick: Natürlich nicht! Sie sind doch toll!

SCHREIBTRAINING

12 Lies den Forumstext. Schreib den Text besser und ersetze die
unterstrichenen Satzteile wie im Beispiel. Schreib in dein Heft.

Hi Leute,
gestern war ich bei einem Casting. Es war ganz toll. Ein Junge da konnte
total gut tanzen und singen. Alle haben <u>über den Jungen</u> (1) geredet.
Seinen Song hat er selbst geschrieben. Den Titel hat er uns gesagt, aber
ich erinnere mich nicht mehr <u>an den Titel</u> (2). Wir mussten dann auch
einen Tanz zusammen machen: Wir haben super gut zusammen getanzt. Ich
habe mich total <u>über den Tanz</u> (3) gefreut. Der Junge gefällt mir echt
gut. Ich glaube, ich könnte mich nie <u>mit dem Jungen</u> (4) streiten ... Wir
treffen uns nächste Woche wieder. Ich freue mich total <u>auf die nächste
Woche</u> (5). Könnt ihr das verstehen??? 😅

Hi Leute,
gestern war ich bei einem Casting. Es war ganz toll.
Ein Junge da konnte total gut tanzen und singen.
Alle haben über ihn geredet. ...

NACH AUFGABE 7 |

13 Was ist richtig? Unterstreiche.

1. ▼ Hey, du darfst mir aber nicht in die Karten sehen, das ist (unfair / witzig)!
   ■ Das tue ich doch gar nicht! Ich weiß sowieso, dass du keinen Joker mehr hast!
2. ● Gestern bin ich 1000 Meter in nur vier Minuten gelaufen. Ich war selbst
   ganz (nett / überrascht).
3. ▲ Was ist los? Bist du krank? ◆ Ja, aber es ist nicht so (gut / schlimm). Ich habe kein Fieber.
4. ■ Die Pizza schmeckt dir nicht, oder? Sei (traurig / ehrlich)! ▲ Na ja, es geht.
5. ▼ Springst du mit mir vom Fünf-Meter-Turm? ● Oh nein, ich bin viel zu (feige / fleißig)!

14a **Ergänze die Verben.**

Paula: Du, Lilian, ich habe Connys Freund gestern im Kino mit einem
anderen Mädchen gesehen.

Lilian: Das glaube ich nicht! Ich kenne Eric, das würde er nie _machen_ (1)!

Paula: Er hat ganz hinten gesessen, aber ich bin mir ziemlich sicher, dass
er es war. Würdest du es Conny _____ (2)?

Lilian: Nein, das würde ich nicht _____ (3). Aber an Connys Stelle
würde ich vielleicht nicht so viel zu Hause _____ (4) und
_____ (5) ... Sie muss ja nicht immer die Beste sein!

| sitzen ✕ tun ✕ |
| erzählen ✕ lernen ✕ |
| ~~machen~~ |

b **Unterstreiche in 14a die Formen von *würde-* + Infinitiv und
ergänze die Tabelle, den Beispielsatz und die Regel.**

Konjunktiv II mit würde- + Infinitiv	
ich _____	wir _würden_
du _____	ihr _____
er/es/sie _würde_	sie/Sie _____
Das _____ er nie _____.	Wir würden es nie erzählen.

> Die Endungen bei *würde-* sind
> wie bei *könnte-* und *hätte-*.

Den Konjunktiv II bildet man mit _____ und dem _____ .
Der Infinitiv steht am Ende.

15 **Ergänze die richtige Form von *würde-* und verbinde.**

1. Simones Eltern reisen nicht gern. Sie _würden_   ⓐ nie draußen übernachten.
2. Ihr seid doch feige! Ihr _____   ⓑ immer die Wahrheit sagen.
3. Ich weiß, dass du sehr ehrlich bist. Du _____   ⓒ wenigstens einen Brief schreiben.
4. Simone will ihre Beziehung mit einer SMS beenden. Ich _____ ⓓ nie nach Australien fliegen.

16 **Ergänze *würde-* in der richtigen Form mit dem passenden Infinitiv.**

Benni
27.11.

Stellt euch vor: Mein Freund Pablo hat in einem Fernseh-Quiz gewonnen
und darf einen Tag lang mit einer berühmten Person zusammen sein.
Ist das nicht cool???
Ich _würde_ nach Los Angeles _fahren_ und dort Natalie Portman
_____ (1). Wir _____ zusammen in ein Studio _____ (2)
und sie _____ mir _____ (3), wie sie einen Film dreht.
Und ihr? Mit wem _____ ihr euch an Pablos Stelle _____ (4)?
Was _____ ihr gern mit dieser Person zusammen _____ (5)?

17 **Lies den Forumstext in 16 noch einmal. Was würdest du machen?**
⊕ **Antworte und schreib Sätze mit *würde-* + Infinitiv in dein Heft.**
⑭

↓ NACH AUFGABE 9

18 Ordne zu. Schreib die Nomen mit Artikel und Pluralform.

> Albatros ✕ Elefant ✕ Pinguin ✕ ~~Affe~~ ✕ Schwan

Ⓐ Ⓑ Ⓒ Ⓓ Ⓔ

der Affe,
die Affen _____ _____ _____ _____

19 Welche Tiere kennst du noch? Schreib in dein Heft.

> *der Hund, die Hunde*
> *...*

20 Was passt zu *Mensch*? Was passt zu *Tier*? Ordne zu und schreib in dein Heft.

> ~~das Junge~~ ✕ fressen ✕ das Männchen ✕
> essen ✕ das Weibchen ✕ die Frau ✕
> der Mann ✕ ~~das Kind~~

Mensch	Tier
das Kind	*das Junge*
...	...

> *das Junge ≠*
> *der Junge*

21 Was passt nicht? Streiche durch.

1. verbringen   Zeit — Geld — die Ferien
2. sich teilen   das Zimmer — den Streit — das Futter
3. verlassen   den Partner — den Nachwuchs — das Symbol

22 Was passt? Ergänze.

> ähnliche ✕ gemeinsam ✕ toter ✕ genug ✕ ~~getrennt~~ ✕ treu

1. Pinguin-Paare verbringen viele Monate im Jahr *getrennt* _____.
2. Jasmins Eltern kümmern sich _____ um das Geschäft.
3. Im Winter finden viele Tiere nicht _____ Futter und sterben.
4. Das Spiel geht so: Alle Kinder laufen im Kreis und machen _____ Bewegungen.
5. ▲ Es ist gar nicht so einfach, sich ein Leben lang _____ zu sein.
   ■ Nein, aber es ist doch total schön. Findest du nicht?
6. ● Oje, hier liegt ein _____ Vogel!

↓ NACH AUFGABE 11

23 Lös das Rätsel. Ergänze. Zwei Wörter passen nicht.

1. Das wünscht man sich von der Partnerin / vom Partner: *Treue* _____
2. Es ist das Gegenteil von Leben: *der* _____
3. Das ist zum Beispiel Liebe, aber auch Angst: *ein* _____

> Kreis • ~~Treue~~ • Gefühl •
> Bewegung • Tod

24 Was passt zusammen? Verbinde. Ergänze dann die Tabelle.

1. Das war das Haus ⎯⎯⎯ ⓐ des Films?
2. Wie war der Titel ⎯⎯⎯ ⓑ meiner Großeltern.
3. Max ist der Kapitän ⓒ des Restaurants?
4. Weißt du die Adresse ⓓ einer Fußballmannschaft.

> Das Haus meiner Großeltern
> = Das Haus gehört meinen Großeltern.

Artikel und Nomen im Genitiv		
der Titel	_____ / *eines*	/ meines Films
die Adresse	_____ / *eines*	/ _____ Restaurants
der Kapitän	*der* / _____	/ _____ Fußballmannschaft
das Haus	_____ / *meiner*	Großeltern

25 Schreib die Sätze anders in dein Heft. Benutze den Genitiv.

1. Das Haus gehört meinen Eltern.
2. Der Hut gehört einem Künstler.
3. Die Stiefel gehören meiner Schwester.
4. Die Kamera gehört dem Reporter.

> 1. Das ist das Haus
> meiner Eltern.

26 Ergänze die Artikel und Nomen im Genitiv.

„Brehms Tierleben" ist der Titel *eines Buchs* (ein Buch) (1) über Tiere. Es ist das Buch _____ (der Naturforscher) (2) Alfred Brehm, der zwischen 1847 und 1851 viele Reisen nach Afrika gemacht hat und später Zoodirektor in Hamburg war. Das berühmte Buch kann man manchmal noch in den Bücherschränken _____ (unsere Großväter) (3) finden. Kai Christiansen hat einen Film über das Leben *des Wissenschaftlers* (der Wissenschaftler) (4) gedreht. Der Titel _____ (sein Film) (5): „Alfred Brehm – Die Gefühle _____ " (die Tiere) (6).

ALFRED EDMUND BREHM
Brehms Tierleben
Die schönsten Geschichten

27 Satzakzent und Satzmelodie: **Hör zu und sprich nach.**

 5-7

1. ▲ Woran <u>denkst</u> du?
   ● An die <u>Par</u>ty morgen.
   ▲ <u>Wie</u> bitte? <u>Wo</u>ran denkst du?
   ● An die <u>Par</u>ty morgen.
   ▲ Ja, <u>da</u>ran denke ich auch.

2. ■ Wor<u>ü</u>ber regst du dich <u>auf</u>?
   ● Über die <u>Klas</u>senarbeit.
   ■ <u>Wie</u> bitte? <u>Wor</u>über regst du dich auf?
   ● Über die <u>Klas</u>senarbeit.
   ■ Ja, <u>da</u>rüber rege ich mich auch auf!

3. ◆ Wor<u>auf</u> <u>freust</u> du dich?
   ▼ Auf die <u>Fe</u>rien.
   ◆ <u>Wie</u> bitte? <u>Wor</u>auf freust du dich?
   ▼ Auf die <u>Fe</u>rien.
   ◆ Ja, <u>da</u>rauf freue ich mich auch!

> W-Frage:
> <u>Wo</u>ran <u>denkst</u> du?
>
> Noch mal nachfragen:
> <u>Wo</u>ran denkst du?

28 Spiel „Karaoke". Stell Fragen wie in **27** und hör die Antworten. Hör dann den Dialog noch einmal und vergleiche.

 8-13

1. sich freuen auf
2. sich ärgern über
3. denken an

Schluss machen	Carlas Freund ~ mit ihr ~ ~. (*Perfekt*)
die Erklärung, -en	◆ Nick hat mit Carla Schluss gemacht. Seine ~ war, dass er keine Zeit hat.
der Plan, ⸚e	*planen → der Plan*
der Rat(schlag), die Ratschläge	▼ Was soll ich tun? Kannst du mir einen ~ geben?
✂ sich auf|regen über + *Akkusativ*	■ Worüber ~ ~ Carla ~? ▼ Über die SMS von Nick.
der Wunsch, ⸚e	*wünschen → der Wunsch*
der Streit (nur Sg.)	Carla und Nick haben oft ~.
die Geschichte, -n	▲ Nick hat mit Carla per SMS Schluss gemacht. Eine blöde ~.
beruhigen	◆ Carla hat sich total über Nick aufgeregt. Ich musste sie erst einmal ~.
🌐 der Idiot, -en	■ Wie kannst du mir so eine blöde SMS schreiben, du ~?
sich erinnern an + *Akkusativ*	● Unser letzter Urlaub war so schön. Ich ~ ~ gern daran.
überrascht sein	▼ Ich habe meiner Freundin heute Blumen geschenkt. Sie ~ total ~.
die Beziehung, -en	Nick hat die ~ zu Carla per SMS beendet.
beenden	= mit etwas aufhören
🌐 unfair	↔ fair
feige	↔ mutig
gemein	■ Ben hat ein total doofes Foto von mir im Internet hochgeladen. ◆ Was? Das ist doch total ~.
schlimm	● Hannes ist nie pünktlich. ▲ Ich finde das nicht ~. Ich komme auch immer zu spät.
die Wahrheit, -en	◆ Wie findest du meinen neuen Rock? Sag die ~.
ehrlich	= die Wahrheit sagen
an ...s Stelle	● ~ Nicks ~ würde ich Carla anrufen.

Tiere

der Albatros, -se

der Pinguin, -e

der Schwan, ⸚e

der Affe, -n

der Elefant, -en

das Symbol, -e | .... | Das Herz ist ein ~ für die Liebe.

die Treue (nur Sg.) | .... | Der Ring ist in vielen Kulturen ein Symbol für die ~.

treu | .... | *die Treue* → *treu*

verlassen (er/es/sie verlässt, verließ, hat verlassen) | .... | Ich werde dich nie ~. = Ich werde immer bei dir bleiben.

der Kreis, -e | .... | ⭕

gemeinsam | .... | = zusammen

die Bewegung, -en | .... | ◆ Warum machen die Schwäne mit ihrem Hals so eine komische ~?

Beim Menschen	Beim Tier
die Frau	das Weibchen, - ....
der Mann	das Männchen, - ....
das Kind	das Junge, -n ....
essen	fressen (er/es/sie frisst, fraß, hat gefressen) ....

der Junge ≠ *das Junge*

der Nachwuchs (nur Sg.) | .... | ◆ Oh, schau mal. Die Schwäne haben ~. ■ Sie haben drei Junge. Wie süß!!!

der Partner, - / die Partnerin, -nen | .... | Pinguine sind ihren ~n immer treu.

das Futter (nur Sg.) | .... | *füttern* → *das Futter*

verbringen (er/es/sie verbrachte, hat verbracht) | .... | ◆ Wie viel Zeit ~ du vor dem Computer? ▲ Ungefähr eine Stunde täglich.

getrennt | .... | ↔ zusammen

ein Ei legen | .... | Pinguine ~ jedes Jahr ~ ~.

sich kümmern um + *Akkusativ* | .... | ~ das Ei des Pinguin-Paares ~ ~ immer das Männchen.

sich teilen + *Akkusativ* | .... | ▼ Warum streiten sich Jakob und Philipp? ● Sie müssen ~ eine Pizza ~ und jeder möchte mehr als der andere.

der Forscher, - / die Forscherin, -nen | .... | Albert Einstein war ein berühmter ~.

ähnlich | .... | ● Emil und Emilia sehen fast gleich aus. Sie sind sich wirklich sehr ~.

das Gefühl, -e | .... | Tiere haben ähnliche ~ wie Menschen. Sie können z. B. auch traurig sein.

sterben (er/es/sie stirbt, starb, ist gestorben) | .... | ↔ geboren sein

tot | .... | = nicht mehr leben

der Tod (nur Sg.) | .... | *tot* → *der Tod*

Lesen

1a **Welche Wörter (A-H) passen? Lies den Text und ergänze die passenden Buchstaben. Drei Wörter passen nicht.**

Ⓐ von Ⓑ gemeinsam Ⓒ verboten Ⓓ Streit

Ⓔ für Ⓕ ~~ein~~ Ⓖ gibt Ⓗ darf

> Lies den Text zuerst ganz und über-
> lege: Was ist das Thema? Lies dann
> die Wörter A bis H und den Text noch
> einmal. Ergänze die Lücken. Wenn du
> etwas nicht sofort weißt, dann lies
> erst einmal weiter. Meistens kannst
> du die Lücke später ergänzen.

„Nur noch _F_ (1) bisschen ..." sagen viele Kinder, wenn ihre
Eltern wollen, dass sie den Computer oder das Handy endlich
weglegen. Oft gibt es dann ____ (2) bei der Frage, wie und wie
lange die Kinder die Geräte benutzen dürfen. Damit es bei dieser
5 Frage weniger Probleme ____ (3), können Eltern und Kinder nun
unter www.mediennutzung-vertrag.de zusammen einen Vertrag
zum Thema „Internet, Handy, Fernsehen und Computer" machen.
Sie überlegen ____ (4): Wie lange dürfen die Kinder fernsehen? Welche
Internetseiten sind erlaubt? Wie gehen sie mit ihren persönlichen
10 Daten um? Was machen sie bei Cybermobbing? Aber nicht nur für
die Kinder und Jugendlichen, auch ____ (5) die Eltern gibt es hier Regeln.

b **Welche Überschrift passt am besten zum Text? Kreuze an.**

ⓐ Digitale Medien – so gefährlich sind sie für unsere Kinder.

ⓑ Weniger Streit in den Familien: Gemeinsame Regeln für
Internet & Co.

ⓒ Fernsehen im Internet

> Kontrolliere bei jeder Aufgabe:
> Ist die Aussage, die du angekreuzt
> hast, richtig? Kontrolliere auch:
> Sind die beiden anderen Aussagen
> wirklich falsch?

Hören

2a **Was ist richtig, ⓐ, ⓑ oder ⓒ? Hör zu und kreuze an.**

4-17

1. Frau Behr ...
   ⓐ kann den neuen Schreibtisch nicht
   zwischen 11 und 18 Uhr abholen.
   ⓑ kann den Schreibtisch am 4. April abholen.
   ⓒ soll den Schreibtisch an einem anderen
   Tag abholen.

2. Marvin soll ...
   ⓐ dem Trainer sagen, dass Till krank ist
   und nicht kommen kann.
   ⓑ Herrn Voss rechtzeitig anrufen.
   ⓒ Till besuchen, weil er mit Fieber im
   Bett liegt.

3. Mareike möchte am Freitagabend ...
   ⓐ ihre Oma besuchen.
   ⓑ lieber zu Hause bleiben.
   ⓒ mit Sascha und Felix ins Kino gehen.

4. Am 14. April ...
   ⓐ spielt die Band „Sommerträume"
   in der Halle 4000 in Kiel.
   ⓑ gibt es ein Konzert von „November" im Radio.
   ⓒ spielt die Band „November" live in Kiel.

b **Hör noch einmal und kontrolliere.**

4-17

Schreiben

3a In einem Internetforum gibt es eine Diskussion zum Thema „Wie wichtig ist Ordnung?".
Lies dazu folgende Meinungen.

Nick:	Oft werde ich gefragt, ob ich ein ordentlicher oder ein unordentlicher Mensch bin. Ganz ehrlich: Ich verstehe die Frage nicht. Wichtig ist für mich, dass ich alles wiederfinde. Wenn ich nicht mehr weiß, wo meine Sachen sind, bin ich genervt. Dann räume ich lieber regelmäßig ein bisschen auf. So schlimm ist das eigentlich gar nicht.
Theresa:	Ich mag es nicht, wenn mein Zimmer nicht aufgeräumt ist. Ich räume mindestens einmal am Tag alles auf. Das geht dann auch ganz schnell, vielleicht fünf Minuten pro Tag. Wenn es unordentlich ist, stresst mich das richtig. Meine Eltern sagen immer, ich mochte schon als kleines Kind keine Unordnung.
Sven:	Ich zeichne gern und ich glaube, Künstler müssen unordentlich sein, sonst haben sie keine guten Ideen. Ich mag mein Chaos. Wenn immer alles aufgeräumt ist, fühle ich mich nicht wohl. Menschen, die sehr ordentlich sind, sind oft auch ein bisschen langweilig. Jedenfalls ist das meine Erfahrung. Meine Eltern haben natürlich eine ganz andere Meinung.
Mila:	Besonders mein Schreibtisch sieht immer sehr chaotisch aus. Ich schaffe es einfach nicht, Ordnung zu halten. Wenn ich dann mal aufgeräumt habe, bleibt es vielleicht zwei Tage so, aber am dritten Tag sieht schon wieder alles aus wie vorher. Ich bewundere Menschen, die ordentlich sind. Das wäre ich auch gern.

b Wer denkt so? Lies die Aussagen noch einmal und kreuze an. Eine Aussage passt nicht.

	Nick	Theresa	Sven	Mila
1. Ich wäre gern ordentlicher.	○	○	○	○
2. Unordnung kann auch positiv sein.	○	○	○	○
3. Unordnung finde ich ganz schrecklich.	○	○	○	○
4. Meine Eltern räumen für mich auf.	○	○	○	○
5. Wichtig ist nur, dass man nie lange suchen muss.	○	○	○	○

c Was denken die Jugendlichen? Bring die Sätze in die richtige Reihenfolge und schreib die Zusammenfassung in dein Heft.

○ Nick findet es schließlich vor allem wichtig, dass man immer alles wiederfindet und nie lange suchen muss.

○ Eine ähnliche Meinung hat Mila, aber sie schafft es nicht immer, ordentlich zu sein. Sie wäre gern ordentlicher.

○ Anders als die beiden Mädchen sehen das die beiden Jungen: Sven liebt das Chaos und findet ordentliche Menschen oft langweilig. Seiner Meinung nach kann Unordnung auch positiv sein.

○ Theresa liebt es, ordentlich zu sein und sie findet Unordnung ganz schrecklich.

① In diesem Internetforum gibt es verschiedene Meinungen zum Thema: „Wie wichtig ist Ordnung?"

> Wenn du die Meinungen von anderen Personen zusammenfasst, schreibst du **nicht** aus der „Ich-Perspektive":
> *Mila: Ich wäre gerne ordentlicher.*
> → *Sie wäre gerne ordentlicher.*

Mach die Übungen. Schau dann auf S. 105 und kontrolliere.
Kreuze an: ☺ *Das kann ich sehr gut!* / 😐 *Das geht so.* / ☹ *Das muss ich noch üben.*

1 Du möchtest mit deinen Freunden etwas unternehmen. Mach Vorschläge.

Wir

Sollen

Ich schlage vor,

Ich kann etwas vorschlagen. ☺ 😐 ☹

2 Was antworten deine Freunde?

☺

☹

Ich kann einen Vorschlag annehmen oder ablehnen. ☺ 😐 ☹

3 Ihr plant eine Fahrradtour. Wer macht was? Schreibt einen Dialog.

● *Wir müssen*   *Wer*   ?

■ *Das*

●

◆

Ich kann Zuständigkeiten verteilen. ☺ 😐 ☹

4 In welcher Reihenfolge machst du das?

Vor

Während

Nach

Ich kann eine zeitliche Reihenfolge ausdrücken. ☺ 😐 ☹

5 Findest du das auch? Wie ist deine Meinung? Schreib in dein Heft.

Das Internet ist gefährlich.

Freunde sind wichtiger als Familie.

Meiner Meinung nach ist das Internet ...
Ich denke, ...

Ich kann meine Meinung sagen. ☺ 😐 ☹

6 Deine Mutter möchte mit dir auf Facebook befreundet sein. Was würdest du tun?

Ich würde

Ich kann Hypothesen ausdrücken. ☺ 😐 ☹

40 LEKTION

↓ **NACH AUFGABE 1**

1

Was passt? Schau die Landkarte im Kursbuch an und ergänze.

| Schweiz × ~~Bodensee~~ × Elbe × Nordsee × |
| Norden × Donau × Süden × Ostsee |

1. Bregenz liegt am _Bodensee_ .
2. Kiel liegt im .... von Deutschland.
3. Die Insel Helgoland liegt in der ....
4. Dresden liegt an der ....
5. Rostock liegt an der ....
6. Wien liegt an der ....
7. Luzern liegt in der Mitte der ....
8. München liegt im .... von Deutschland.

> Manche Nomen können zwei verschiedene Artikel haben. Dann ändert sich die Bedeutung:
> *der See = ein See*, z. B. *der Bodensee*,
> *die See = ein Meer*, z. B. *die Nordsee*.

Norden
Westen — Osten
Süden

↓ **NACH AUFGABE 2**

2a

Welches Wort passt? Ergänze.

| Kirche × Hafen × Stadtrundfahrt × ~~Sehenswürdigkeiten~~ × |
| Kostüme × Zuschauer × Essen × Zoo × Rekord × Gebäude |

Sie möchten Hamburgs berühmte _Sehenswürdigkeiten_ (1) kennenlernen und

eine .... (2) machen? Hier sind einige Highlights:

TIPPS für ein tolles Hamburg-Wochenende

1 Die Hamburger lieben ihren „Michel": Die berühmte .... (3) „St. Michaelis" ist 132 Meter hoch. Auf 106 Meter gibt es eine Plattform. Von da oben kann man die ganze Stadt sehen.

2 Die Elbphilharmonie in der HafenCity finden nicht nur Architekten spannend: Sie ist ein sehr modernes .... (4). Sie können es natürlich auch besichtigen.

3 Ein absolutes Highlight ist der Hamburger .... (5). Auf einer Rundfahrt mit dem Schiff bekommen Sie viele interessante Informationen, z. B. über die historische Speicherstadt und die Landungsbrücken.

4 Eine Bootsfahrt macht Appetit. Genießen Sie ein gutes .... (6) in einem der Fischrestaurants.

5 Sie lieben Musicals? Hamburg ist die Musicalstadt Nummer 1 in Deutschland. Den größten .... (7) feiert Disneys „König der Löwen": Mehr als 10 Millionen .... (8) sind seit der Deutschland-Premiere im Jahr 2001 in dieses Musical gegangen. Die .... (9) sind einfach fantastisch.

6 Sie wollten schon immer mal eine Giraffe oder einen Elefanten füttern? Besuchen Sie den .... (10) Hagenbecks Tierpark und lernen Sie seltene Tiere aus der ganzen Welt kennen.

b **Schreib die Verben richtig.**

1. die Elbphilharmonie _besichtigen_ (TISICHGENBE)
2. eine Stadtrundfahrt / Hafenrundfahrt _____ (CHENMA)
3. berühmte Sehenswürdigkeiten _____ (NENLERNENKEN)
4. ein gutes Essen _____ (NIEGEßEN)
5. ins Musical _____ (HENGE)
6. Tiere im Zoo _____ (TERNFÜT)

c **Was würdest du gern in Hamburg machen?**
Schau noch einmal 2a und b an. Ergänze dann die Sätze.

Am liebsten würde ich
_____
_____

Außerdem würde ich gern
_____
_____

> Mit *würde gern + Infinitiv* kannst du Wünsche ausdrücken.

3 **Was ist richtig? Unterstreiche.**

1. ◆ Hilfe! Mein Handy funktioniert / repariert nicht mehr. Ich muss doch telefonieren.
   ▲ Kein Problem. Ich kenne ein Geschäft, dort funktionieren / reparieren sie auch Handys.
2. ■ Mist! Warum kommt denn jetzt kein Kaffee? Ich verstehe diese Maschine / Kraft nicht.
   ◆ Das ist normal. Sie funktioniert oft nicht richtig.
3. ▼ Und? Wie ist dein Praktikum?
   ◆ Toll! Ich bin echt berühmt / begeistert . Die Firma ist ziemlich groß.
      Sie hat sehr viele Zuschauer / Mitarbeiter .
   ▼ Wie viele sind es denn?
   ◆ Ich glaube, hier in Berlin sind es circa 200 und in Köln circa 100,
      also nur / insgesamt circa 300.
4. ● Paul, bitte. Ich habe wirklich keine Kraft / Ahnung mehr.
   ▲ Ach komm, das schaffst du! Es sind doch nur noch vier Kilometer.
5. ● Wow! Was steht denn da in eurer Garage?
   ■ Das ist der neue Wagen / Rekord von meinem Vater.
   ● Super! Der hat bestimmt einen starken Container / Motor , oder?
   ■ Ja klar, das Auto fährt extrem schnell.

4a **Was ist das? Ordne zu.**

 (A)
 (B)
 (C)
 (D)

1. ◯ der Berliner Fernsehturm
2. ◯ das Wiener Burgtheater
3. ◯ der Hamburger Hafen
4. ◯ der Kölner Dom

> (!) das Münchner Oktoberfest
> die Dresdner Oper

b **Wie heißen diese Spezialitäten? Ergänze.**

1. Frankfurt: Würstchen → *Das sind Frankfurter Würstchen.*

2. Hamburg: Fischbrötchen → *Das ist ein*

3. Nürnberg: Lebkuchen → *Das sind*

4. München: Weißwürste → *Das sind*

↓ NACH AUFGABE 4 |

GRAMMATIK

5a **Lies die Situationen A – E und die Ratschläge 1 – 5. Welcher Ratschlag passt? Verbinde.**

Ich bin immer so müde.
(A)

Bea hat Fieber.
(B)

Miko sitzt immer nur vor dem Computer.
(C)

Wir schreiben morgen einen Test in Mathe.
(D)

Leila und Tom sind schlecht in Englisch.
(E)

(1) Sie sollten mehr Vokabeln lernen!

(2) Er sollte mehr Sport machen!

(3) Ihr solltet vorher noch üben!

(4) Sie sollte lieber zum Arzt gehen!

(5) Du solltest früher ins Bett gehen!

b **Unterstreiche in 5a die Konjunktiv II-Formen von *sollen* und ergänze die Tabelle.**

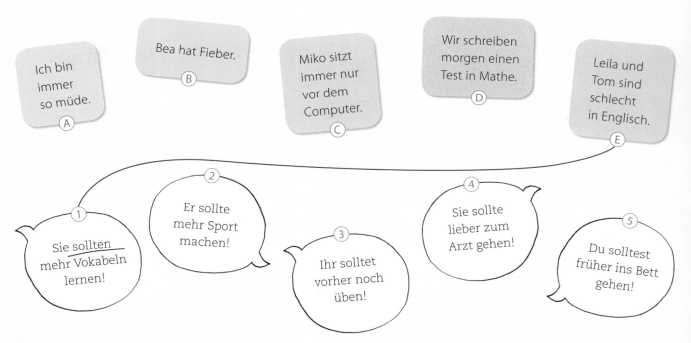

	Konjunktiv II: sollen		
ich	*sollte*	wir	*sollten*
du		ihr	
er/es/sie		sie/Sie	*sollten*

> Du kennst diese Formen schon vom Präteritum von *sollen*.

6 Welche Ratschläge passen zu welchem Foto? Ergänze zuerst *sollt-* und ordne dann zu.

1. Ⓑ Ihr _solltet_____ jeden Tag acht neue Vokabeln lernen.
2. ◯ Ich glaube, du _____ vielleicht lieber das gelbe T-Shirt anziehen.
3. ◯ Frau Wagner, Sie _____ unbedingt weniger Kaffee trinken.
4. ◯ Meinst du nicht, du _____ lieber einen Rock probieren?
5. ◯ Ihr _____ Lerngruppen machen. Dann macht das Lernen mehr Spaß.
6. ◯ Sie _____ einmal pro Woche eine halbe Stunde schwimmen.

Ⓐ   Ⓑ   Ⓒ

7 Deine Freundin / dein Freund hat Probleme mit einem Lehrer. Welche Ratschläge würdest du ihr/ihm geben? Schreib drei Sätze mit *sollt-* in dein Heft.

SCHREIBTRAINING

8a Eine halbformelle E-Mail schreiben. Lies zuerst die Situation.

Situation: Du machst eine Klassenfahrt und kannst deshalb nicht zum Klavierunterricht gehen.
Du schreibst eine E-Mail an deine Klavierlehrerin Frau Scheffler.

b Die Anrede: Was passt? Kreuze an.

◯ Liebe Frau Scheffler,   ◯ Hallo Britta,   ◯ Hi Frau Scheffler,

c Die Einleitung: Wie kannst du anfangen? Kreuze an.

◯ Ich interessiere mich sehr für …   ◯ Leider kann ich …   ◯ Ihren Vorschlag finde ich sehr gut.

d Der Gruß: Was passt? Kreuze an.

◯ Gruß   ◯ Viele Grüße   ◯ Auf Wiedersehen

e Schreib dann eine E-Mail an deine Lehrerin Frau Scheffler in dein Heft.

Entschuldige dich höflich und berichte, warum du nicht
kommen kannst und wann du wieder da bist.

↓ NACH AUFGABE 5 |

9 Was bedeuten die Symbole?
Lies die Sätze 1–6 und ordne zu.

1. Ⓓ Das ist kein Trinkwasser.
2. ◯ Hier muss man leise sein.
3. ◯ Hier ist es nicht erlaubt, ein Handy zu benutzen.
4. ◯ Hier ist die Toilette.
5. ◯ Hier darf man nicht rauchen.
6. ◯ Hier kann man im Internet surfen.

10 Was passt? Schreib die Wörter mit unbestimmtem Artikel.

> Tag × Jahr × ~~Stunde~~ × Jahrhundert × Monat × Woche

1. _eine Stunde_ = 60 Minuten
2. _____ = 24 Stunden
3. _____ = 7 Tage
4. _____ = 4 Wochen
5. _____ = 12 Monate
6. _____ = 100 Jahre

11 Erfindungen: Wann war das? Ergänze das Jahrhundert wie im Beispiel.

> im sechzehnten Jahrhundert × im zwanzigsten Jahrhundert (2x)
> ~~im fünfzehnten Jahrhundert~~ × im neunzehnten Jahrhundert (2x)

1. Bücher: _im 15. Jahhundert_ (1440)
2. das Auto: _____ (1886)
3. Zahnpasta: _____ (1907)
4. die Currywurst: _____ (1949)
5. die Jeans: _____ (1873)
6. Bier: _____ (1516)

12 Was bedeuten diese Adjektive? Ergänze.

> Du schreibst: im 15. Jahrhundert.
> Du sprichst: im fünfzehnten Jahrhundert.

> lustlos × kraftlos × arbeitslos

1. Ich habe leider keine Arbeit, ich bin seit einem Monat _____ .
2. Ich habe keine Kraft mehr, ich fühle mich so _____ .
3. Dazu habe ich überhaupt keine Lust, ich bin richtig _____ .

↓ NACH AUFGABE 6

13 Was passt zusammen? Verbinde und unterstreiche das passende Verb.

1. ◆ Glaubst du wirklich, dass Mädchen schlechter Schlagzeug spielen als Jungen?
2. ▲ Habt ihr am Wochenende schon etwas vor?
3. ● Was meinst du, wie alt ist unsere Mathelehrerin?
4. ■ Was ist? Warum fährst du nicht los?
5. ▼ Und wie war's gestern auf dem Schulfest?

(a) ▼ Keine Ahnung. Sie sieht jung aus, aber ich kann ihr Alter schlecht schätzen / meinen .

(b) ● Ja, das glaube ich. Aber du kannst mir ja das Gegenteil beweisen / bewundern .

(c) ■ Super, wir haben getanzt und ich habe mich lange mit Sabine und Tom verstanden / unterhalten .

(d) ◆ Warte bitte. Es ist ziemlich kalt. Ich muss noch meine Jacke anziehen, bevor ich aufs Fahrrad stelle / steige .

(e) ▲ Ja, wir machen einen Ausflug nach Burghausen. Da kann man die längste Burg der Welt beweisen / bewundern . Die ist wunderschön!

14 **Was ist richtig? Unterstreiche.**

1. ■ Meine Eltern waren lange dagegen, aber zuerst / schließlich durfte ich doch auf die Party gehen.
2. ● Ich kann total gut Vokabeln lernen und gleichzeitig / wahrscheinlich Musik hören.
   Das stört mich überhaupt nicht.
3. ◆ Der Film war langweilig und deshalb / außerdem haben die Schauspieler schlecht gespielt.

GRAMMATIK

15a **Schau die Situationen A und B an und lies die Sätze. Ordne zu.**

◯ Während Lars zur Schule geht, hört er Musik.
   = Lars geht zur Schule und hört Musik.

◯ Bevor Lars zur Schule geht, frühstückt er mit seinen Eltern.
   = Lars frühstückt zuerst. Dann geht er zur Schule.

b **Was passiert gleichzeitig? Was passiert nicht gleichzeitig?**
Schau noch einmal die Bilder in 15a an und ergänze A oder B.

.... = gleichzeitig
.... = nicht gleichzeitig

c **Schreib die Sätze aus 15a in das erste Schema.**
Ergänze dann das zweite Schema und die Regel.

Nebensatz: Wann?				Hauptsatz			
			Ende				
Bevor	Lars	zur Schule	geht	, frühstückt	er	mit seinen Eltern.
Während			,			

Hauptsatz			Nebensatz: Wann?			
						Ende
Lars	frühstückt	mit seinen Eltern	, bevor			
	hört	Musik	, während			

Temporale Nebensätze: Konjunktionen bevor, während

Temporale Nebensätze können gleichzeitig (→ _während_) oder nicht gleichzeitig
(→ ....) sein.
Der Nebensatz kann vor oder nach dem Hauptsatz stehen. Achte auf die Position des Verbs im
Hauptsatz!

16 Was passt: *bevor* oder *während*? Ergänze.

1. Es ist verboten, mit dem Handy zu telefonieren, _____
man Auto fährt.

2. _____ wir morgen den Englischtest schreiben, muss ich
unbedingt noch Vokabeln lernen.

3. _____ ich Hausaufgaben mache, darf ich keine Musik hören.

4. Ich trinke gern einen Tee, _____ ich ins Bett gehe.

5. Immer muss ich mein Zimmer aufräumen, _____
meine Oma zu Besuch kommt.

6. _____ wir frühstücken, hören wir immer Radio.

17 Verbinde die Sätze mit *bevor* oder *während*. Es gibt mehrere Lösungen. Schreib in dein Heft.

⊕
1. Maria: das Abendessen machen, im Supermarkt einkaufen
2. Oskar: mit seiner Freundin telefonieren, im Bus sitzen
3. Verena: ins Bett gehen, ihre Zähne putzen
4. Charlotte: in Urlaub fahren, einen neuen Bikini kaufen
5. Mira: ihr Lieblingslied singen, duschen

> *1. Bevor Maria das Abendessen macht, ...*

AUSSPRACHE

18a Wortakzent bei Städten: **Hör zu, klopf mit und sprich nach.**

18))

1. ●   Köln – Wien – Rom – Bern – Prag
2. ● •   Hamburg – Moskau – München – Frankfurt – Peking
3. ● •   Warschau – Zürich – London – Brüssel – Salzburg
4. • ●   Paris – Athen – Berlin – Madrid – New York
5. ● • •   Budapest – Ankara – Düsseldorf – Istanbul
6. • ● •   Hannover – Venedig – Saarbrücken
7. • • ●   Amsterdam – Lissabon
8. ● • • •   Bratislava

b Wortakzent bei Flüssen: **Hör zu, klopf mit und sprich die Namen mit Artikel nach.**

19))

1. ●   Rhein – Main – Inn – Nil – Spree – Seine
2. ● •   Elbe – Donau – Oder – Moldau – Themse – Ganges – Mekong – Niger
3. • • ● •   Amazonas – Mississippi

> Erkennst du alle Städte und Flüsse? Wie heißen sie in deiner Sprache? Lern die Namen der Städte und Flüsse wie neue Vokabeln.

19a Hör zu und sprich nach.

20))

▲ Ach, ich liebe Städte mit großen Flüssen!

● Welche denn zum Beispiel?

▲ Ach, alle: Köln am Rhein, Hamburg an der Elbe, Berlin an der Spree, Wien an der Donau, London an der Themse, Paris an der Seine ... Eine ist schöner als die andere! Findest du nicht?

● Ich finde Städte am Meer viel schöner. Kiel an der Ostsee – da ist immer frischer Wind.

b Sprecht den Dialog zu zweit.

Berlin an der Spree

die Nordsee (nur Sg.) ....

die Ostsee (nur Sg.) ....

Rostock

Hamburg

Berlin

Düsseldorf

Deutschland

Dresden

Köln

der See = ein See, z. B. *der Bodensee,*
die See = ein Meer, z. B. *die Nordsee.*

liegen an/in + *Dativ*	....	Hamburg ~ der Nordsee.
die Mitte, -n	....	Luzern liegt in der ~ der Schweiz.
das Kostüm, -e	....	
das Gebäude, -	....	Die Hamburger Elbphilharmonie ist ein modernes ~.
die Maschine, -n	....	■ Wir brauchen eine neue Kaffee~. Unsere alte ist leider kaputt.
der Motor, -en	....	Dieses Sportauto fährt 310 km/h. Es hat einen sehr starken ~.
der Hafen, ⸚	....	● Kennst du den Hamburger ~? ■ Ja, der ist toll. Da war ich mal auf einem alten Segelschiff.
die Rundfahrt, -en	....	Die Hafen~ dauert eine Stunde.

*Hafen + Rundfahrt =
die Hafenrundfahrt*

besichtigen	....	In Hamburg ~ wir viele Sehenswürdigkeiten ~. (*Perfekt*)
genießen (du genießt, er/es/sie genoss, hat genossen)	....	Bei diesem tollen Wetter ~ wir die Hafenrundfahrt richtig ~. (*Perfekt*)
das Musical, -s	....	
der Rekord, -e	....	Der deutsche Fußballspieler Miroslav Klose schoss bei Weltmeisterschaften 16 Tore. Das ist der aktuelle Welt~.
der Zuschauer, - / die Zuschauerin, -nen	....	Das Fußballstadion hat Platz für 75.000 ~.
begeistert sein von + *Dativ*	....	Die Zuschauer ~ ~ dem Film ~.
die Kraft, ⸚e	....	● Ich muss eine Pause machen. Ich habe keine ~ mehr.
der Wagen, -	....	▲ Der neue ~ meines Vaters hat einen Elektromotor.
funktionieren	....	■ Mein Smartphone ist kaputt. Es ~ nicht mehr.

insgesamt

....

- In meiner Klasse sind wir 14 Jungen und 12 Mädchen. Also ~ 26 Schüler.

der Mitarbeiter, - /
die Mitarbeiterin, -nen

....

- Wie groß ist die Firma?
- Nicht sehr groß. Sie hat nur 25 ~.

selten

....

immer → oft → ~ → nie

der Gruß, ¨e

....

Liebe ~
Deine Carla

So beendest du einen Brief / eine E-Mail an eine Freundin / einen Freund.

rauchen →

....

das WC, -s →

....

arbeitslos

....

= ohne Arbeit

Welche anderen Wörter mit –los kennst du noch?

das Jahrhundert, -e

....

Die Sankt Michaelis Kirche in Hamburg ist aus dem 17. ~.

beweisen (er/es/sie bewies,
hat bewiesen)

....

- Mädchen können nicht Fußball spielen.
- Quatsch. Ich werde dir das Gegenteil ~.

bevor

....

- ~ ich abends ins Bett gehe, putze ich meine Zähne.

Zuerst putze ich meine Zähne. Dann gehe ich ins Bett.

steigen (er/es/sie stieg,
ist gestiegen)

....

Er ~ auf sein Fahrrad und fährt weg.

wunderschön

....

= besonders schön

bewundern

....

Sebastian ist sehr stark. Ich ~ seine Kraft.

schätzen

....

- Was meinst du, wie viele Personen passen auf dieses Schiff?
- Ich weiß nicht genau, aber ich ~ ca. 3000.

schließlich

....

- Meine Eltern waren zuerst dagegen, aber ~ durfte ich doch auf die Party gehen.

sich unterhalten
(er/es/sie unterhält sich,
unterhielt sich,
hat sich unterhalten)

....

- Im Hafen ~ wir ~ mit einem echten Schiffskapitän ~. (Perfekt)

gleichzeitig

....

- Kannst du ~ lesen und Musik hören?
- Klar, kein Problem.

Alles wird gut.

⬇ **NACH AUFGABE 2**

1 Mal den Kopf in Artikelfarben weiter. Benutze die Wörter.

Gesicht ✕
Ohr ✕
Auge ✕
Mund ✕
Hals ✕

2 Was passt? Ergänze die Verben in der richtigen Form.

informieren ✕ brauchen ✕ posten ✕ löschen ✕ bitten ✕ ~~verletzen~~

> **Was kann man tun, wenn peinliche Bilder oder Videos im Internet stehen?**   TIPP
>
> Wenn jemand ein peinliches Foto oder Video von dir _____ (1) hat, kannst du
> den Anbieter der Video-Plattform _____ (2). Er muss dann das Bild oder das
> Video _____ (3). Denn es ist verboten, jemanden im Internet zu ärgern oder zu
> *verletzen* (4). Vielleicht _____ (5) du Hilfe von deinen Eltern
> oder einem anderen Erwachsenen. _____ (6) jemanden um Hilfe.

⬇ **NACH AUFGABE 3**

3 Ordne zu und schreib die Nomen mit Artikel.

Handtuch ✕ ~~Bett~~ ✕ Duschgel ✕ Zahnpasta ✕ Schlafanzug ✕ Zahnbürste

schlafen
das Bett, _____
_____

duschen
_____
_____

Zähne putzen
_____
_____

4 Was passt? Ergänze.

witzig ✕ wütend ✕ peinlich

1. Ich bin so _____ !   2. Oh, ist das _____ !   3. Haha, das ist _____ !

5a Warum freut sich Nina? Warum ist Philipp so wütend?
Was glaubst du? Ordne zu.

Ⓑ Wegen des Fotos im Internet.
◯ Wegen der Farbe ihrer Haare.
◯ Wegen des Erfolgs beim Casting für einen Film.
◯ Wegen der Probleme mit einem Mitschüler.
◯ Wegen Nadja, seiner Freundin.

b Unterstreiche in 5a die Satzteile mit *wegen*. Ergänze die Tabelle.
Ergänze dann die Regel.

kausale Präposition wegen + Genitiv		
	+ bestimmter Artikel	*+ unbestimmter Artikel*
Warum?	wegen _des_ Erfolgs _der_	wegen _eines_ Streits
	wegen _des_ Fotos _des_	wegen _eines_ Problems
	wegen _der_ Farbe _Fe d/e_	wegen _einer_ Eins
	wegen _der_ Probleme _Pl die_	
	ⓘ *bei Namen:* wegen	

> Wenn du sprichst, kannst du auch den Dativ verwenden, zum Beispiel: *Ich ärgere mich wegen einem Streit mit meinen Eltern.*

> Nach der kausalen Präposition *wegen* stehen Artikel und Nomen im _____
> ⓘ Bei Namen steht kein Artikel.

6 Ergänze die Artikel (wenn nötig) und die Nomen im Genitiv.

1. ◆ Warum willst du denn nicht zu Pauls Party kommen?
   ● Wir haben uns gestern wegen _der Playstation_ (Playstation) gestritten.
   ◆ Wie bitte? Und wegen _des Streits_ (Streit) kommst du nicht zur Party?
   Ruf Paul doch an und entschuldige dich.
2. ▲ Warum ist Marie denn so sauer?
   ◆ Wegen _des Fotos_ (Fotos). Ich habe Bilder gepostet und sie vorher nicht
   gefragt. Ich finde das eigentlich lustig, aber Marie hat sich total aufgeregt.
3. ■ Ich habe gehört, der Ausflug findet nicht statt. Warum denn nicht?
   ● Wegen _des Wetter_ (Wetter). Es regnet wahrscheinlich. ■ Schade.
4. ◆ Oh schau mal, Paul hat eine neue Frisur. ▲ Ja, das ist wegen _Schade_ (Sonja).
   Er ist in sie verliebt.
5. ■ Wieso ist Christine denn so glücklich?
   ▼ Wegen _einer Zwei_ (Zwei) in Mathe. Sie schreibt sonst immer nur
   schlechte Noten.

↓ NACH AUFGABE 5

7 Findet er das gut ☺ oder schlecht ☹ ? Zeichne Smileys.

1. ☺ in Ordnung
2. ☺ richtig
3. ☺ unverständlich
4. ☺ unmöglich
5. ☺ übertrieben
6. ☺ unfair
7. ☺ verständlich
8. ☺ falsch
9. ☺ fair

> Ich finde dein Verhalten ...

8a Was ist richtig? Unterstreiche.

> Frage von Xcookie, vor 43 Minuten
> Hallo, ich habe ein <u>Problem</u> / Verhalten (1). Mein bester Freund hat eine Freundin. Ich habe sie letzte Woche aber mit einem anderen Jungen gesehen und es meinem Freund erzählt. Die beiden haben sich dann total gestritten und nun kommt das Blödeste: Der Junge ist ihr Cousin. Mein Freund ist jetzt sauer auf mich. Was kann ich tun, damit er nicht mehr so peinlich / wütend (2) ist?
>
> | Antwort von mickey234 | Dein Verhalten / Streit (3) ist in Mitte / Ordnung (4). Ich finde es OK, dass du deinem Freund Bescheid gesagt hast. |
> | --- | --- |
> | Antwort von supergirl | Also, das finde ich nicht. Die Reaktion / Toleranz (5) deines Freundes finde ich verständlich / unmöglich (6). Es ist doch nicht deine Sache, wenn seine Freundin sich mit einem anderen Jungen trifft. |
> | Antwort von 2cool2 | Das ist doch alles total fair / übertrieben (7). Er braucht sich doch nicht gleich mit seiner Freundin zu streiten, nur weil sie mit einem Jungen zusammen ist. |

b Schreib nun auch eine Antwort an *Xcookie* in dein Heft. Benutze die Wörter aus 8a.

9 Würdest du dich deshalb aufregen? Benutze die Sätze und schreib in dein Heft.

> Da kann ich ganz sauer werden. • Das ist doch nicht so schlimm. • Da bleibe ich ganz cool.

Loch im Pullover   Fleck auf dem Hemd   Fehler im Test   Panne mit dem Fahrrad

A. Wegen eines Lochs im Pullover würde ich mich nicht aufregen. Das ist...

NACH AUFGABE 9

10a Wer sagt oder denkt was? Ordne zu.

1. Schau mal, das kleine Hündchen! Das ist aber ein hübsches Tierchen.
2. Oh, nein! Diese Mädchen! Das ist ja schrecklich!
3. Oh, so ein süßes Kätzchen! Und es hat so einen Durst. Das Schüsselchen ist gleich leer. Wie süüüüß!

b Was ist das? Verbinde.

1. das Kätzchen
2. das Schüsselchen
3. das Hündchen
4. das Tierchen

a das kleine Tier
b die kleine Schüssel
c die kleine Katze
d der kleine Hund

> Die Endung *-chen* macht Sachen klein. Die Nomen sind immer neutral.
> *a, o, u* wird oft *zu ä, ö, ü*.
> (*die Katze* → *das Kätzchen*).

↓ NACH AUFGABE 10 |

11 **Was passt zusammen? Verbinde.**

1. das Tierheim
2. das Zoo-Geschäft
3. der Zoo

ⓐ Dort kann man Tiere und Futter kaufen.
ⓑ Dort leben wilde Tiere, damit die Menschen sie sehen können.
ⓒ Dort leben Tiere ohne Zuhause.

12 **Finde noch zwölf weitere Tiere.**

VOGELSPINNEBERNHARDINERENTEFLEDERMAUSFUCHSKAMELKÄTZCHEN
WASCHBÄRWASSERSCHILDKRÖTEWILDSCHWEINSCHWANPFERDPINGUIN

13 **Welche Adjektive passen? Ordne zu.**
Du kannst die Wörter auch öfter verwenden.

giftig • süß • groß • klein • gefährlich • wild • stark

Kätzchen: _____
Vogelspinne: _____
Wildschwein: _____

Wie sagt man *zwar ... , aber ...* in deiner Sprache?

GRAMMATIK

14a **Was passt zusammen? Verbinde.**

1. Lukas mag zwar Fledermäuse,
2. Frau König hat zwar ihr Kätzchen gesucht,
3. Sofie möchte zwar das Kätzchen behalten,

ⓐ aber sie hat nicht genug Platz zu Hause.
ⓑ aber seine Mutter findet sie schrecklich.
ⓒ aber sie hat es nirgendwo gefunden.

b **Ergänze Satz 1 aus 14a. Unterstreiche und ergänze dann die Regel.**

Hauptsatz				Hauptsatz			
	Pos. 2			Pos. 0	Pos. 1		Pos. 2
Lukas	mag	zwar	Fledermäuse,	aber	seine Mutter		

Die zweiteilige Konjunktion *zwar ..., aber ...* verbindet zwei
Hauptsätze/Nebensätze . *Aber* steht auf Position _____

Vergiss das Komma vor *aber* nicht.

15 **Schreib Sätze mit *zwar ..., aber ...* wie im Beispiel. Schreib in dein Heft.**

1. Tim: möchte Hund, Eltern es nicht erlauben
2. Sara: findet Vogelspinnen toll, sind giftig
3. Obelix: isst gern Wildschweine, im Wald leben
   nicht genug Wildschweine
4. Lilian: liebt Kätzchen, es gibt nicht genug Platz zu Hause
5. Fabian: hätte gern Fuchs als Haustier, wildes Tier kann
   nicht in einer Wohnung leben

1. Tim möchte zwar einen Hund, aber seine Eltern erlauben es nicht.

↓ NACH AUFGABE 11

GRAMMATIK

16a Ergänze die Verben in der richtigen Form.

bauen ✕ bieten ✕ ~~suchen~~ ✕ leben

1. In Hannover lebt ein Waschbär, der nachts in den Müllcontainern nach Essen *sucht* .

2. In Berlin gibt es auch ein Kaninchen, das auf einer Verkehrsinsel _____.

3. Diese Tiere leben in der Stadt, die ihnen viel Futter _____.

4. In Berlin gibt es Enten, die ihre Nester auf einem Balkon _____.

b Lies Satz 1 aus 16a und ergänze den Relativsatz im Nominativ. Lies dann die Regel.
Was ist richtig? Unterstreiche.

> Relativsatz im Nominativ
>
> Ende
>
> In Hannover lebt ein Waschbär. Er sucht nachts nach Essen.
>
> In Hannover lebt ein Waschbär, _____ nachts nach Essen _____ .

> Der Relativsatz ist ein Hauptsatz / Nebensatz : Das konjugierte Verb steht am Ende.

c Lies noch einmal die Sätze aus 16a. Welches Nomen ist mit den unterstrichenen Wörtern gemeint? Zeichne einen Pfeil (↶) wie im Beispiel.

d Ergänze dann die Tabelle in den Artikelfarben und die Regel.

Relativsatz: Relativpronomen im Nominativ			
Hauptsatz		Relativsatz	
	Bezugswort	Relativpronomen	
In Hannover lebt ein	*Waschbär*,	*der*	nachts nach Essen sucht.
In Berlin gibt es auch ein	,		auf einer Verkehrsinsel lebt.
Diese Tiere leben in der	,		ihnen viel Futter bietet.
In Berlin gibt es	,		ihre Nester auf einem Balkon bauen.

> Am Anfang vom Relativsatz steht ein Relativpronomen *der,* _____ Es erklärt ein Wort
> aus dem Hauptsatz. Deshalb steht es direkt nach dem Bezugswort (… ein Waschbär, der …).

17 Verbinde die Sätze mit dem Relativpronomen im Nominativ wie im Beispiel.
Schreib in dein Heft.

1. Da kommt Elias. Er hat Sofies Foto gepostet.
2. Zeig mir doch mal das Foto. Es hat Sofie wütend gemacht.
3. Kennst du Lilian? Sie geht mit Sofie in eine Klasse.
4. Ist das der Junge? Er hat sein Kätzchen gesucht.
5. Oh, schau mal die Kätzchen. Sie liegen da in der Ecke.
6. Warst du schon einmal im Tierheim? Es ist in der Nähe vom Zoo.

> 1. Da kommt Elias, der
> Sofies Foto gepostet hat.

18a Lies den ersten Satz im Text und ergänze unten den Relativsatz im Akkusativ.
Ergänze auch so den Relativsatz im Dativ.

> Unser Haus hat einen großen Garten, <u>den unsere Tiere lieben.</u> Wir haben einen Hund
> und seit zwei Monaten auch eine Katze, <u>die</u> wir in einem Park gefunden haben. Unser
> Hund mag die Katze nicht und jagt sie oft. Dann laufen beide im Garten durch die
> Blumen meiner Mutter, <u>der</u> das natürlich gar nicht gefällt. Ja, und dann haben wir
> noch das Pferd, dem das Chaos im Garten ganz egal ist. Es interessiert sich nur für sein
> Futter, das es ruhig und langsam frisst. Mein kleiner Bruder Max hat auch noch Fische,
> denen ich aber immer das Futter geben muss. Denn Max vergisst das oft.

dem × den

Relativsatz im Akkusativ
Unser Haus hat einen großen Garten. Unsere Tiere lieben <u>den Garten</u>.

Unser Haus hat einen großen Garten, <u>dem</u> unsere Tiere lieben.

Relativsatz im Dativ
Das ist unser Hund. Ich gebe <u>dem Hund</u> jeden Tag Futter.

Das ist unser Hund, <u>den</u> ich jeden Tag Futter gebe.

b Unterstreiche im Text 18a alle Relativsätze und ergänze dann die Tabellen und die Regel.

Relativsatz: Relativpronomen im Akkusativ

Hauptsatz		Relativsatz	
	Bezugswort	Relativpronomen	
Unser Haus hat einen großen	Garten,	<u>den</u>	unsere Tiere natürlich lieben.
Das Pferd interessiert sich nur für sein	das Futter,	<u>das</u>	es ruhig und langsam frisst.
Wir haben seit zwei Monaten auch eine	die Katze,	<u>die</u>	wir in einem Park gefunden haben.
Wir haben auch kleine	Fische,	<u>die</u>	mein Bruder Max sehr liebt.

Relativsatz: Relativpronomen im Dativ

Hauptsatz		Relativsatz	
	Bezugswort	Relativpronomen	
Das ist unser	Hund,	<u>dem</u>	ich jeden Tag Futter gebe.
Dann haben wir noch das	Pferd,	<u>dem</u>	das Chaos im Garten ganz egal ist.
Dann laufen beide durch die Blumen meiner	Mutter,	<u>der</u>	das natürlich gar nicht gefällt.
Mein kleiner Bruder Max hat auch noch	Fische,	<u>den</u>	ich aber immer das Futter geben muss.

Das Relativpronomen wird auch vom Verb im Relativsatz bestimmt.
Bei Verb + Akkusativ (z.B. *lieben* + Akkusativ) steht das Relativpronomen
im <u>den, die das, die</u>
Bei Verb + Dativ (z.B. *geben* + Dativ) steht das Relativpronomen im
<u>dem, der, dem, den</u>

! Dativ Plural: *denen*
Alle anderen Relativpronomen sind wie die bestimmten Artikel.

19 Markiere das Bezugswort in den Artikelfarben. Ergänze Akkusativ oder Dativ.
Ergänze dann das Relativpronomen.

1. Das ist der Junge, _den_ Sofie nicht (mag.) (+ _Akkusativ_)

2. Das ist der Junge, ~~der~~ _dem_ Sofie (gefällt.) (+ _Dativ_)

3. Das ist die Katze, _der_ das Futter nicht (schmeckt.) (+ _Dativ_)

4. Das ist die Katze, _die_ ich so süß (finde.) (+ _A_)

5. Das sind die Fische, ~~die~~ _denen_ ich immer Futter (gebe.) (+ ~~Akk~~ _Dativ_)

6. Das sind die Fische, ~~der~~ _die_ ich immer (füttere.) (+ ~~Dat~~ _Akk_)

20 Ergänze die Relativpronomen.

1. ● Wer ist Manuel? ▲ Der Junge, _dem_ der süße Hund gehört. (+ _Dativ_)
2. ◆ Wer sind denn die Leute, _die_ dich da rufen? (+ _Nominativ_)
   ■ Meine Nachbarn, ~~dem~~ _denen_ ich manchmal mit den schweren Taschen helfe. (+ _Dativ_)
3. ▼ Hast du die CD mitgebracht, _die_ du gestern gekauft hast? (+ _Akkusativ_)
   ● Ja, sie liegt da im Rucksack, _der_ am Schrank hängt. Holst du ihn bitte? (+ _Nominativ_)
4. ■ Kennst du den Jungen, _den_ wir vorhin mit Marie gesehen haben? (+ _Akkusativ_)
   ▲ Ist das nicht ihr Freund Patrick, _den_ sie im Sommercamp kennengelernt hat (+ _Akkusativ_)
   und _dem_ sie jeden Tag SMS schickt? (+ _Dativ_)
5. ◆ Kannst du mir bitte mal das Buch geben, _das_ da neben dir liegt? (+ _Nominativ_)
   ■ Hier bitte. Ist das die Geschichte von dem Raumschiff, ~~die~~ _das_ Captain Kork gehört? (+ _Nominativ_)
   ◆ Ja. Total spannend.

AUSSPRACHE

21 Lange und kurze Vokale: a, o, u, i
21 ((•)) **Hör zu, sprich nach und markiere: Ist der Vokal kurz (.) oder lang (_)?**

1. Zahn – Kraft
2. Zoo – Loch
3. Fuchs – suchen
4. ihm – schlimm

5. Schwan – Panne
6. toll – tot
7. Junge – Juli
8. Wien – Wind

9. Hafen – Affe
10. Schloss – groß
11. Hut – Futter
12. bieten – bitten

13. fallen – fahren
14. Weg – weg
15. Uhr – Mund
16. Tim – Tier

22 **Hör zu und sprich nach.**
22 ((•))

> **Tier-Rap**
> Kamel, Giraffe, Elefant -
> Wo sind sie her? Aus welchem Land?
> Ich kenne sie nur aus dem Zoo
> und die Affen ebenso.
> Wildschwein, Fuchs und Fledermaus,
> die haben hier im Wald ihr Haus.
> Und diese Ente und der Schwan
> wohnen am See, gleich nebenan.

> Ist der Vokal lang oder kurz? Das siehst du manchmal schon an der Schreibweise:
> • Ein „h" macht einen Vokal lang (→ Za_h_n).
> • Ein „ß" macht einen Vokal lang (gro_ß_).
> • Ein „ie" macht ein „i" lang (→ b_ie_ten).
> • Zwei Konsonanten machen einen Vokal kurz. (→ Pa_nn_e, Schlo_ss_, Wi_nd_, …).

Das sind
deine Wörter!

wütend

wegen + *Genitiv* .... ◆ ~ einer Fünf in Deutsch würde ich
mich furchtbar aufregen.

der Mund, ⸚er .... *Sofie*: Auf dem
Foto habe ich
gerade die
Zahnbürste im ~.

(die) Zahnpasta (nur Sg.) .... Zum Zähneputzen braucht man
Zahnbürste und ~.

das Gesicht, -er .... Sofie hat ein hübsches ~. Besonders
schön sind ihre blauen Augen.

peinlich

posten .... Elias ~ ein peinliches Foto von
Sofie im Internet ~. (*Perfekt*)

fair .... ↔ unfair

löschen ....

der Schlafanzug, ⸚e ....

das Loch, ⸚er ....

der Fleck, -en ....

in Ordnung .... ▼ Ich finde Elias' Verhalten ~.
Er hat nichts falsch gemacht.

verständlich .... ● Ich verstehe Elias. Ich finde sein
Verhalten ~.

unmöglich .... ● Hannah nervt. Sie kommt immer
zu spät. Ich finde ihr Verhalten ~.

die Reaktion, -en .... *reagieren* → *die Reaktion*

übertrieben .... ◆ Sofies Reaktion finde ich ~.
Es ist doch nichts passiert.

das Tierheim, -e .... = Dort leben Tiere ohne Zuhause.

das Kätzchen, - .... = eine kleine Katze

Die Endung *-chen* macht Sachen klein.
Die Nomen sind immer neutral.

zwar …, aber …		Sofie und Lilian haben ~ viele Leute gefragt, ~ niemand hat das Kätzchen vermisst.
der Zettel, -		= ein kleines Stück Papier
das Zoo-Geschäft, -e		= Dort kann man Tiere und Futter kaufen.
behalten (er/es/sie behält, behielt, hat behalten)		Sofie möchte das Kätzchen zwar gern ~, aber ihre Eltern erlauben es leider nicht.
nirgendwo		= an keinem Ort
wild		Fuchs und Waschbär sind ~ Tiere.
giftig		▼ Sind alle Schlangen ~? ● Nein, nur manche.
der Platz, ⸚e		Sofies Wohnung ist sehr klein. Dort gibt es nicht genug ~ für eine Katze.

Tiere

der Bernhardiner, -

die Ente, -n

die Fledermaus, ⸚e

der Fuchs, ⸚e

die Vogelspinne, -n

der Waschbär, -en

die Wasserschildkröte, -n

das Wildschwein, -e

bieten (er/es/sie bot, hat geboten)		Die Stadt ~ Tieren viel Futter.
das Nest, -er		In Berlin gibt es Enten, die ihre ~ auf einem Balkon haben.
bauen		Viele Vögel ~ ihre Nester auf Bäumen.

42
LEKTION

↓ NACH AUFGABE 1

1 **Ergänze die Verben in der richtigen Form.**

~~ausfüllen~~ × sich anmelden × teilnehmen × bearbeiten × programmieren

1. ■ Hey, wartet mal! Wollt ihr bei einer Umfrage zum Thema „Schulessen" mitmachen?
   Ihr müsst nur diesen Fragebogen *ausfüllen*. Es dauert nicht lange.
2. ◆ Deine Fotos von der Klassenfahrt sind total schön geworden.
   ▲ Ja, das finde ich auch. Ein paar habe ich aber auch ....
3. ● Du weißt doch, Simon interessiert sich sehr für Informatik. Er hat jetzt auch angefangen,
   Spiele zu .... ▼ Echt? Das ist ja toll!
4. ■ Hast du gesehen? Auf der Schulwebseite steht eine Einladung zu einem Schreib-Wettbewerb.
   Ich glaube, ich würde da gerne ....
   ◆ Ja klar, das machst du bestimmt super. .... *dich* gleich ....!

2 **Was wünschst du diesen Personen? Ergänze.**

Ⓐ

Ⓑ

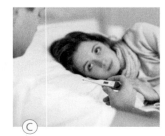
Ⓒ

Viel Glück! ×
Gute Besserung! ×
Guten Appetit!

....

↓ NACH AUFGABE 2

3 **Welche Nomen sehen aus wie Verben im Infinitiv? Lies die Sätze und unterstreiche sie.**
Unterstreiche auch den Artikel, in Satz 4 auch das Adjektiv.

1. ◆ <u>Das Essen</u> ist fertig! ▲ Oh, super! Was essen wir denn heute?
2. ● Ich lerne gerade diese blöden Vokabeln. Aber sie gehen mir nicht in den Kopf.
   ■ Ja, auch das Lernen muss man lernen!
3. ● Nach dem Einkaufen gehe ich noch zum Friseur.
   ▼ Du brauchst nicht einkaufen zu gehen. Das kann ich machen.
4. ● Mein Opa hatte ein interessantes Leben.
   Er hat in vielen verschiedenen Ländern gelebt.
   ▲ Toll! Ich würde auch gern mal in einem anderen Land leben.

> Einen Infinitiv kannst du ganz
> schnell zu einem Nomen machen:
> Du schreibst ihn einfach groß. Die
> Nomen sind immer neutral.
>
> *essen* → *das Essen*
> *einkaufen* → *nach dem Einkaufen*

4 **Was ist richtig? Unterstreiche.**

1. ◆ Soll ich heute mal das Essen / essen machen? ■ Oh ja, gern. Was willst du denn kochen / Kochen?
2. ▲ Frühstückst du vor oder nach dem duschen / Duschen? ● Meistens frühstücke ich zuerst.
3. ■ Clara ist erst fünf Jahre alt, aber sie kann schon Lesen / lesen. ◆ Toll!
4. ● Jetzt hört doch endlich mal mit dem streiten / Streiten auf! Was ist denn los?
   ▲ Paul hat wieder meinen Kopfhörer genommen!

5 **Was passt nicht? Streiche durch.**

1. frisch: Zutaten — Obst — Tisch   3. sauber: Küche — Geschirr — Nachspeise
2. vegetarisch: Gericht — Personal — Pizza   4. nett: Personal — Direktorin — Portion

GRAMMATIK

6a **Lies das Gespräch. Lies dann die Sätze 1–3. Was passt zusammen? Verbinde.**

Luis: Hi, Till! Wie war das Testessen gestern?
Till: Es war super. Hab' total viel gegessen.
Emma: Hat es auch eine Nachspeise gegeben?
Till: Ja, ein Stück Schokoladenkuchen. War ganz toll.
Noah: Musste man im Fragebogen viel ankreuzen?
Till: Ja, es waren echt viele Fragen, aber ich habe alle beantwortet.

1. Luis möchte wissen,   ⓐ ob es auch eine Nachspeise gegeben hat.
2. Emma fragt,   ⓑ ob man im Fragebogen viel ankreuzen musste.
3. Noah will wissen,   ⓒ wie das Testessen war.

b **Lies noch einmal die Sätze 1 und 2 in 6a und ergänze das Schema.**

W-Frage		*Ende*
direkt	Wie **war** das Testessen?	
indirekt	Luis möchte wissen, _____ das Testessen _____ .	

> Du kennst schon indirekte Fragesätze mit Fragewort *wer, was, wie …*

Ja-/Nein-Frage		*Ende*
direkt	**Hat** es auch eine Nachspeise gegeben?	
indirekt	Emma fragt, _____ es auch eine Nachspeise gegeben _____ .	

c **Lies die Regel. Was ist richtig? Kreuze an und ergänze.**

> Indirekte Ja/Nein-Fragen beginnen mit   ◯ wer / wie / was / …   ◯ ob.
>
> Diese Fragen sind Nebensätze. Das konjugierte Verb steht am _____ .

7 **Ergänze die indirekten Fragen. Schreib in dein Heft.**

1. Gehst du auch heute Abend zu der Party?
   → Ich wollte dich fragen, …
2. Warum möchte Ria eine Woche auf ihr Smartphone verzichten?
   → Ich würde gern wissen, …
3. Machen bei dem Testessen auch Lehrer mit?
   → Kannst du mir sagen, …

> *1. Ich wollte dich fragen, ob …*

> Du weißt schon: Wenn die Einleitung eine Frage ist, dann steht am Ende ein Fragezeichen. *(Kannst du mir sagen, …?)*

8

⊕

Lies die SMS. Ergänze dann die indirekten Fragen. Benutze nicht immer die gleiche Einleitung. Schreib in dein Heft.

> Kann man Spaghetti auch mit Fisch machen?
> Charly
> ①

> Wann fängt der Flashmob morgen an? Ich komme auch!
> Sina
> ②

> Sagt mal, soll ich zum Ausflug Schwimmzeug mitbringen?
> Kevin
> ③

1. Charly möchte wissen, ..

Du weißt schon: In der indirekten Frage musst du manchmal die Pronomen anpassen.

SCHREIBTRAINING

9

Lies die E-Mail an den Direktor des Waldgymnasiums.
Schreib die Mail besser und benutze indirekte Fragen. Schreib in dein Heft.

Indirekte Fragen sind oft höflicher als direkte.

von: info@kochag.de
an: direktor@waldgymnasium.porz.de
Betreff: Organisation eines Schulessens

Sehr geehrter Herr Keil,

mein Name ist Lukas Binder. Ich bin Schüler der Klasse 9b und nehme an der Koch-AG teil.
Unsere AG würde am Ende des Schuljahres gern ein Schulessen organisieren.
Sind Sie damit einverstanden? Wer könnte uns dann bei der Organisation helfen? Außerdem:
Kann man für so ein Schulessen auch Geld von der Schule bekommen?
Wir freuen uns auf Ihre Antwort.

Mit freundlichen Grüßen
Lukas Binder
(Koch-AG)

Sehr geehrter Herr Keil,
mein Name ist ... Unsere AG ... und wir wollten
Sie fragen, ... Wir würden auch ...

↓   NACH AUFGABE 3 |

10   **Was passt? Ergänze.**

positiv × günstig × fett × ebenso   *ebenso = genauso*

1. ◆ Schau mal, wie gefällt dir die Tasche? Ich habe sie _____ auf
   dem Flohmarkt bekommen. Sie hat nur zwei Euro gekostet.
2. Meike isst Fisch _____ gern wie Fleisch.
3. Dieses Jahr hat kein Schüler in den Abitur-Prüfungen eine Fünf geschrieben.
   Der Direktor war _____ überrascht.
4. Viele Leute essen total falsch: zu viel, zu süß und zu _____.

11 **Lies den Text. Was ist richtig? Unterstreiche.**

FOREN ⟶ ELTERN

MummyBlue,
neues Mitglied,
registriert
seit: 15.August

Hallo! Ich habe eine Frage: Wir ziehen um und suchen für unseren Sohn eine Schule im Norden von Köln. Gutes Schulessen ist für uns dabei sehr wichtig. Hat jemand einen Tipp?

TEAM-VIER
Registriert
seit: 1.Januar

Beiträge: 122

Hallo MummyBlue!
Unsere Tochter Kati wechselt im nächsten Jahr auch die Schule, deshalb haben wir uns verschiedene <u>Fragen / Alternativen</u> (1) angesehen: Den besten Eindruck / Konsum (2) hat auf uns die Wolfgang-Herrndorf- Gesamtschule / Universität (3) gemacht. Die Schüler können zwischen vielen verschiedenen Fächern wählen und sie machen auch tolle Projekte. Das Angebot / Material (4) ist wirklich groß.
Wir haben uns auch die Kantine angesehen und waren von der Leistung / Qualität (5) des Essens überrascht. In dieser Schule kocht man nur mit frischen Zutaten. Und das zeigt sich dann auch im Abfall / Geschmack (6): Wir haben selten so eine gute Gemüsesuppe gegessen! Die Fahrerin / Direktorin (7) hat uns erklärt, dass sie außerdem gute Kreditkarten / Preise (8) anbieten können, weil sie sehr günstig einkaufen. Auch unserer Tochter hat die Schule sehr gut gefallen, denn sie haben auch tolle AGs, zum Beispiel eine Sterngucker-AG oder eine Gourmet-AG. Kati freut sich schon auf das nächste Schuljahr! ☺

↓ NACH AUFGABE 5 |

12 **Ordne zu. Schreib die Nomen mit Artikel.**

Mehl × Bohne × Salz × Zwiebel ×
Käse × Öl × <u>Pfeffer</u>

1. *der Pfeffer*   2. _____   3. _____   4. _____

5. _____   6. _____   7. _____

13 **Schreib die Verben richtig.**

1. Kuchen / Brot *backen* _____ (ENBACK)
2. Pfeffer, Salz und Öl _____ (MISCHVEREN)
3. Zwiebeln klein _____ (DENSCHNEI)
4. Würstchen in der Pfanne _____ (TENBRA)
5. Käse _____ (BENREI)
6. Kartoffeln _____ (LENSCHÄ)
7. Suppe _____ (CHENKO)

14a Lies den Dialog und die Einkaufsliste. Ergänze wie im Beispiel.

Mutter: Ich muss unbedingt einkaufen gehen. Wir brauchen
kleine _Nudeln_ (1), helles _____ (2) und
frischen _____ (3). Annika, schaust du
mal, ob wir noch rote _____ haben?

Annika: Ja, einen Moment, Mama. Also: Rote
_____ (4) ist noch da, und
frischer _____ (5) ist auch noch hinten
im Kühlschrank …

Mutter: Ach wirklich? Das habe ich gar nicht gesehen!

EINKAUFEN:

Käse (frisch)
Mehl (hell)
Marmelade (rot)
Nudeln (klein)

b Was muss Annikas Mutter nicht einkaufen? Streiche aus der Liste in 14a.

**c Unterstreiche in 14a die <u>Adjektive</u> vor den Lebensmitteln wie im Beispiel.
Ergänze dann die Tabelle.**

Nullartikel + Adjektiv					
im Nominativ			im Akkusativ		
Da ist noch	frisch_____	Käse.	Wir brauchen	frisch_____	Käse.
	hell _es_	Mehl.		hell_____	Mehl.
	rot_____	Marmelade.		rot_____	Marmelade.
Da sind noch	klein _e_	Nudeln.		klein _e_	Nudeln.

d Lies die Regel und unterstreiche. Was ist richtig?

Nullartikel heißt, dass es einen / keinen Artikel vor dem Nomen gibt.
Du verwendest den Nullartikel immer, wenn du eine unbestimmte Mengenangabe machst.

Achte auf die Adjektivendungen: der Käse → frischer Käse   den Käse → frischen Käse

15 Ergänze die Adjektivendungen.

1. ● Du Mama, was braucht man eigentlich für ein Fondue?
   ▲ Man braucht zuerst mal gut _es_ Fleisch und dann verschieden_____ Soßen dazu.

2. ◆ Was möchten Sie als Nachspeise haben? Wir haben sehr lecker_____ Apfelkuchen.
   ▼ Ach nein, Kuchen möchte ich nicht. Aber haben Sie vielleicht frisch_____ Ananas?

3. ■ Was steht denn hier im Kühlschrank? Ist das Cola?
   ● Nein, das ist kalt_____ Kaffee, ich möchte mir einen Eiskaffee machen.

4. ▲ Schau mal, hier steht: Heute für Schüler im Angebot: Lecker_____ Hamburger und
   kalt_____ Cola für nur 3,50 Euro.   ● Super, ich habe echt Hunger.

5. ▲ Schau mal, was hier in der Anzeige steht: Verkaufe witzig_____ T-Shirt
   und rot_____ Gürtel, zusammen 5 Euro.   ◆ Zeig mal, ist da auch ein Foto?

Den Nullartikel
verwendet man auch
oft in Anzeigen.

NACH AUFGABE 7

16 **Was essen Casper und Emilia (nicht) gern? Was glaubst du? Schreib in dein Heft.**

frisch • süß • grün • fett • groß • klein • gesund • heiß • lecker • leicht • …

Kuchen • Fleisch • Soßen • Käse • Karotten • Wurst • Obst • Torten • Gemüse • Fisch • Tomaten • Salat • …

Caspers Lieblingsessen sind süße Torten und … Er mag auch gern …, aber … isst er überhaupt nicht gern.

Emilias Lieblingsessen ist / sind …

17 **Was bedeuten die Abkürzungen für die Maßangaben? Schreib sie auf.**

Denk daran: Nomen schreibt man immer groß.

1. EL = _Esslöffel_

2. TL = _____

3. kg = _____

4. g = _____

5. l = _____

18a **Korrigiere die Maßangaben (kg, g …)**

Frankfurter Grüne Soße mit Kartoffeln (einfach)

6 Eier
100 ~~TL~~ _g_ (1) Joghurt
300 EL _____ (2) frische Kräuter (7 verschiedene)
0, 2 kg _____ (3) Sahne oder Crème fraîche
1 l _____ (4) neue Kartoffeln
Salz, weißer Pfeffer, Zucker

ZUTATEN FÜR 4 PERSONEN

b **Was passt? Ordne zu.**

vermischen ✕ schälen ✕ würzen ✕ kochen (2x) ✕
schneiden (2x) ✕ dazugeben ✕ legen ✕ waschen

Zubereitung:

Die Eier ungefähr sechs Minuten _kochen_ _____ (1),
dann kurz in kaltes Wasser _____ (2).
Die Eier pellen und in kleine Stücke _____ (3).
Die Kräuter unter kaltem Wasser _____ (4)
und sehr klein _____ (5). Die Sahne mit dem
Joghurt und den Kräutern _____ (6).
Etwas Zucker _____ (7). Mit Salz und Pfeffer _____ (8).
Kartoffeln _____ (9) und 20 Minuten in Salzwasser _____ (10).

↓ NACH AUFGABE 8 |

19 **Lies die Ausschnitte aus einem Vortrag zum Thema „Vegetarisch essen" und ergänze die Satzteile.**

komme ich zum Schluss ✗ Ich persönlich
Ich würde sagen ✗ ~~Zuerst spreche ich~~ ✗ Ich finde es positiv
Hier bei uns ✗ Aber negativ ist ✗ ~~Ich mache eine Präsentation~~
für Ihre Aufmerksamkeit ✗ Es hat Vorteile ✗ dann sage ich

Ich mache eine Präsentation (1) zum Thema „Vegetarisch essen". *Zuerst spreche ich* (2) über eigene Erfahrungen, _____ (3), wie die Situation in meinem Heimatland ist. Ich erkläre auch, welche Vorteile und Nachteile es gibt. Und dann _____ (4).

In meiner Familie essen wir nicht vegetarisch. _____ (5) esse zum Beispiel jeden Tag Fleisch oder Fisch. Aber ich habe eine Tante, die nie Fleisch isst.

_____ (6) gibt es immer mehr Leute und auch Jugendliche, die vegetarisch essen. Es gibt auch vegetarische Restaurants.

_____ (7) und Nachteile, wenn man vegetarisch isst. _____ (8), weil man viel Gemüse und Obst isst. Das ist sehr gesund und man wird nicht dick. _____ (9), dass man nicht alles isst. Deshalb kann man bei einer Einladung Probleme bekommen. _____ (10), dass man auf Fleisch nicht ganz verzichten sollte, weil man es braucht. Man darf nur nicht zu viel davon essen.

Mein Vortrag ist nun zu Ende. Ich hoffe, er hat Ihnen gefallen.
Herzlichen Dank _____ (11).

AUSSPRACHE

20 **Satzmelodie bei indirekten Fragesätzen: Hör zu und sprich nach.**

23 ◀ﬂ)

1. ● Wie hat das Essen geschmeckt? ■ Wie bitte?
   ● Ich habe gefragt, wie das Essen geschmeckt hat.
2. ● Sind die Portionen groß genug? ■ Wie bitte?
   ● Ich würde gern wissen, ob die Portionen groß genug sind.
3. ● Wie lange muss man warten? ■ Wie bitte?
   ● Ich möchte wissen, wie lange man warten muss.
4. ● Sind die Zutaten frisch? ■ Wie bitte?
   ● Ich frage mich, ob die Zutaten frisch sind.

21 **Spielt ähnliche Dialoge wie in 20.**

▲ Isst du gern Obst und Gemüse?
◆ Wie bitte?
▲ Ich habe gefragt, ob …
◆ Ja, sehr gern!

Isst du gern Obst und Gemüse? ✗ Wann frühstückst du? ✗
Hast du schon mal gekocht? ✗ Wie oft esst ihr Fleisch? ✗
Trinkst du Kakao zum Frühstück? ✗ …

Das sind deine Wörter!

sich an|melden		■ Möchtest du beim Testessen mitmachen? ● Ja, klar! ■ Dann ~ ~ doch gleich ~!
das Gericht, -e		■ In unserer Kantine gibt es immer leckere ~.
aus|füllen		● Ich möchte mich zu diesem Tanzkurs anmelden. ▲ Dann ~ bitte das Formular ~.
Guten Appetit!		■ Das Essen ist fertig. ~
der Direktor, -en / die Direktorin, -nen		● Wir dürfen in der Schule keine Handys benutzen. Der ~ hat es verboten.
ob		▲ Meine Mutter fragt: Hat das Essen geschmeckt? = ▲ Meine Mutter fragt, ~ das Testessen geschmeckt hat.
die Portion, -en		■ Ich hätte gern eine große ~ Pommes und eine Cola.
die Zutat, -en		● In unserer Kantine kocht man nur mit frischen ~.
vegetarisch		▲ Ich esse kein Fleisch. Gibt es in eurer Kantine auch ~ Gerichte?
das Personal (nur Sg.)		▼ Wie war euer Hotel? ◆ Fantastisch: Die Zimmer waren groß und das ~ sehr freundlich.
die Nachspeise, -n		
das Geschirr (nur Sg.)		
die Qualität, -en		
der Eindruck, ⸚e		▼ Sven macht einen netten ~. ◆ Ja, ich finde ihn auch sympathisch.
günstig		≙ billig
die Alternative, -n		
das Angebot, -e		Das kulturelle ~ in Berlin ist sehr groß.
der Geschmack, ⸚e		schmecken → der Geschmack
die Gesamtschule, -n		Julian besucht die Otto-Hahn-~ in Hamburg.
positiv		↔ negativ
fett		▲ Ich esse gern Fleisch, wenn es nicht zu ~ ist.
ebenso		= genauso

die Soße, -n .... ▼ Am liebsten esse ich Spaghetti mit ~.

die Pfanne, -n .... ● Hast du das Gemüse im Topf oder in der ~ gemacht?

ungefähr .... ● Wie alt ist dein Fahrrad?
◆ Ich weiß nicht genau, ~ drei Jahre.

Maßangaben

> Du schreibst g und du sagst Gramm

EL = der Esslöffel, - | TL = der Teelöffel, - | l = der Liter, - | kg = das Kilo(gramm), - g = das Gramm, -

die Karotte, -n | die Zwiebel, -n | das Mehl (nur Sg.) | das Salz (nur Sg.) | der Pfeffer (nur Sg.)

das Öl, -e | die Bohne, -n | der Käse (nur Sg.) | die Tomate, -n, | die Wurst, ¨e

Kochen

schälen

reiben
(er/sie/es rieb, hat gerieben)

braten
(er/sie/es brät, briet, hat gebraten)

würzen | ✂ dazu|geben (er/sie/es gibt dazu, gab dazu, hat dazugegeben) | vermischen

🌐 die Präsentation, -en ....

persönlich .... ■ Kann ich die E-Mail von Nick lesen?
● Nein, es ist ~.

🌐 die Situation, -en ....

das Heimatland, ¨er .... Kati kommt aus Wien.
Österreich ist ihr ~.

der Vorteil, -e .... ▼ Welche ~ hat vegetarisches Essen?
▲ Es ist gesund und leicht.

der Nachteil, -e .... ↔ der Vorteil

eigener/eigenes/eigene/eigene .... ▼ Hast du jetzt deine ~ Wohnung?
● Nein, ich wohne leider immer noch bei meinen Eltern.

die Aufmerksamkeit, -en .... ◆ Mein Vortrag ist nun zu Ende. Herzlichen Dank für eure ~.

Lesen

1 **Lies die Aufgaben 1–4 und den Text. Was ist richtig:** ⓐ, ⓑ **oder** ⓒ**? Kreuze an.**

Du machst mit deiner Familie Urlaub auf dem Campingplatz in Meislingen.

1. Neue Campinggäste ...
   - ⓐ können sich 24 Stunden lang an der Rezeption anmelden.
   - ⓑ sollen sich vormittags an der Rezeption anmelden.
   - ⓒ sollen sich sofort an der Rezeption anmelden.

2. In den Ruhezeiten ...
   - ⓐ sollte man auf Fernsehen und Radio verzichten.
   - ⓑ darf man trotzdem laut sprechen.
   - ⓒ sollte man leise sein.

3. Auf dem Campingplatz ...
   - ⓐ ist Autofahren verboten.
   - ⓑ darf man nur sehr langsam fahren.
   - ⓒ dürfen Kinder und Fußgänger nicht auf der Straße gehen.

4. Die Campinggäste ...
   - ⓐ müssen jeden Tag die Toiletten und Duschen selbst putzen.
   - ⓑ dürfen keinen Müll ins WC werfen.
   - ⓒ dürfen keine Hunde mitbringen.

Lieber Campinggast!
Herzlich willkommen auf dem Campingplatz Meislingen!
Wir freuen uns, dass Sie Ihren Urlaub bei uns verbringen. Wir bitten
Sie, folgende Hinweise zu beachten, um Ihnen und allen anderen
Gästen den Urlaub so angenehm wie möglich zu machen.

1. Bitte melden Sie sich direkt nach Ihrer Ankunft an der Rezeption an.

2. Bitte verlassen Sie am Abreisetag den Standplatz bis spätestens 12 Uhr sauber.
   Wenn Sie später abreisen möchten, erkundigen Sie sich bitte an der Rezeption,
   ob das möglich ist.

3. Unsere Preisliste finden Sie an der Rezeption oder im Internet.

4. Die Platzruhe dauert von 13 bis 15 Uhr und von 22 bis 7 Uhr. Bitte stellen Sie
   die Lautstärke bei Radio, Fernsehapparat und ähnlichen Geräten so ein, dass Sie
   niemanden stören. Bitte verzichten Sie während dieser Zeit auch auf laute
   Gespräche und Lärm.

5. Das Fahren mit Fahrzeugen aller Art ist nur im Schritttempo (Tempolimit 10 km/h)
   erlaubt. Achten Sie bitte auf Fußgänger, besonders auf Kinder.

6. Ordnung und Sauberkeit sind uns sehr wichtig. Bitte vergessen Sie nicht: Alle
   Gäste benutzen gern saubere und ordentliche Toiletten und Waschräume. Werfen
   Sie auf keinen Fall Abfälle in die Toiletten. Benutzen Sie dazu bitte die Abfalleimer.

7. Tiere sind bei uns willkommen, bitte melden Sie diese bei Ihrer Ankunft an der
   Rezeption an. Innerhalb des Campingplatzes sind Hunde ständig an der Leine
   zu halten.

8. Bitte melden Sie Notfälle (Unfälle, Krankheiten etc.)
   sofort an der Rezeption.

Einen erlebnisreichen und erholsamen
Urlaub wünscht Ihnen
Ihr Team vom Campingplatz Meislingen

Hören

 2a Du hörst einen Text. Dazu gibt es fünf Aufgaben. Was ist richtig: (a), (b) oder (c)?
Kreuze an.

24 (⋙)

Du bist als Austauschschülerin / Austauschschüler in einer Klasse in Hamburg. Ihr macht eine Klassenfahrt auf eine Insel in der Nordsee. Der Lehrer gibt euch Informationen.

1. Die Schüler sollen am Montag pünktlich ...
   (a) um halb acht am Bus sein.
   (b) um halb vier auf dem Parkplatz sein.
   (c) um acht am Hafen sein.

2. Die Zimmer in der Jugendherberge sind für ...
   (a) vier Personen.
   (b) fünf Personen.
   (c) vier und sechs Personen.

3. Auf der Fahrradtour bekommen die Schüler Informationen über ...
   (a) das Nordseekurparkzentrum.
   (b) Tiere und Pflanzen.
   (c) die Geschichte der Insel.

4. Am Freitag macht die Klasse ...
   (a) einen Ausflug ins Museum „Haus der Westküste".
   (b) ein Beachvolleyball-Turnier.
   (c) eine Wanderung.

5. Die Schüler sollen ...
   (a) keinen Rucksack mitnehmen.
   (b) an Kleidung für gutes und schlechtes Wetter denken.
   (c) einen Schlafsack mitnehmen.

> Achte beim Hören auf wichtige Informationen wie: Datum, Wochentage, Uhrzeit, Orte, Aktivitäten.

b **Hör noch einmal und kontrolliere.**

24 (⋙)

Schreiben

3a **Lies den folgenden Beitrag im Diskussionsforum der Zeitschrift zum Thema „Freizeitstress oder einfach mal nichts tun?". Ist Ohle dafür oder dagegen, auch mal nichts zu tun? Kreuze an.**

Ohle ist ◯ dafür.
◯ dagegen.

Ohle
14:52 Uhr

Einfach nur rumhängen, das kann ich gar nicht. Ich finde es total langweilig, nichts zu tun! In meiner Freizeit bin ich gern aktiv, mache Sport und Musik oder treffe mich mit Freunden. Dienstags und donnerstags trainiere ich Handball und außerdem spiele ich seit zwei Jahren Gitarre. Das macht Spaß und tut mir gut! Ich glaube auch, dass ich viel mehr lerne, wenn ich aktiv bin. Manchmal mache ich auch kleinere Jobs, um ein bisschen mehr Taschengeld zu haben. Ich kann gar nicht verstehen, warum so viele immer nur chillen wollen. Meiner Meinung nach sollten die Menschen viel aktiver sein, weil das auch gesünder ist.

b **Was sind seine Gründe? Markiere die Stellen im Text.**

c **Und du? Bist du in deiner Freizeit aktiv oder machst du lieber nichts? Warum?**
Mach Notizen in dein Heft.

d **Schreib jetzt deine Meinung zum Thema und erzähl von deinen Erfahrungen. Die Satzanfänge helfen dir. Schreib in dein Heft.**

Ich finde ... • Ich glaube / denke auch / nicht, dass ... •
Ich bin der Meinung, dass ... • Meiner Meinung nach ..., weil •
Bei mir ist es ganz anders / genauso. •
Ich kann gut / nicht verstehen, dass ... • ...

Mach die Übungen. Schau dann auf S. 105 und kontrolliere.
Kreuze an: ☺ *Das kann ich sehr gut!* / ☺ *Das geht so.* / ☹ *Das muss ich noch üben.*

1 Deine Freundin / Dein Freund ist morgens immer sehr müde.
Du gibst ihr/ihm Ratschläge. Schreib in dein Heft.

> *Vielleicht solltest du … /*
> *Du solltest unbedingt mal …*

Ich kann Ratschläge geben. ☺ ☺ ☹

2 Was machst du gleichzeitig, was machst du nicht gleichzeitig?

Bevor ich Hausaufgaben mache,

während ich

Ich kann sagen, was gleichzeitig und was nicht gleichzeitig passiert. ☺ ☺ ☹

3 Du hast eine sehr nette SMS bekommen. Deine Freundin / Dein Freund fragt,
warum du dich so freust. Schreib eine Antwort in dein Heft.

> *Ich freue mich wegen … / Ich freue mich, weil …*

Ich kann etwas begründen. ☺ ☺ ☹

4 Deine Freundin / Dein Freund hat seit ein paar Wochen einen festen Freund / eine feste
Freundin. Jetzt hat sie/er keine Zeit mehr für dich. Wie findest du ihr/sein Verhalten?

Ich finde   Verhalten

Ich kann Gefallen und Missfallen ausdrücken. ☺ ☺ ☹

5a Du hältst einen Vortrag zu dem Thema „Haustiere in der Wohnung".
Wie fängst du an? Schreib in dein Heft.

> *Ich spreche heute …*

Ich kann ein Thema präsentieren. ☺ ☺ ☹

b Beschreib die Vorteile und die Nachteile. Schreib in dein Heft.

> ☺ *Ich finde es …, weil …*   ☹ *… ist, dass …*

Ich kann Vorteile und Nachteile angeben. ☺ ☺ ☹

c Was sagst du am Schluss? Schreib in dein Heft.

Ich kann eine Präsentation beenden und mich bei den Zuhörern bedanken. ☺ ☺ ☹

Die App, die den Dieb findet.

⊘ NACH AUFGABE 1

1a **Was passt zusammen? Verbinde.**

1. ein Foto
2. das Handy
3. eine App
4. eine SIM-Karte
5. ins Netz
6. auf das Geld

ⓐ installieren
ⓑ aufpassen
ⓒ machen
ⓓ gehen
ⓔ einlegen
ⓕ einschalten

b **Ergänze Ausdrücke aus 1a in der richtigen Form.**

1. ◆ Bitte _schalte_ nach der Schule _das Handy ein_ ! Ich rufe dich vielleicht an.
2. ▲ Könnten Sie bitte _____ von uns _____? Hier vor dem Kölner Dom.
3. ● Was? Die 50 Euro sind weg? Warum hast du denn nicht _____ _____?
4. ▼ Karina lernt jetzt ihre Deutschvokabeln mit dem Smartphone. Ich möchte diese _____ auch bei mir _____.

2 **Was ist mit einem Smartphone möglich? Ergänze.**

Mit einem Smartphone ist es möglich, _SMS zu schicken_ , ins _____ zu _____, _____ und _____

3 **Welches Verb passt nicht? Streiche durch.**

1. Geld   ausgeben — ~~installieren~~ — sparen
2. die Polizei   aufpassen — anrufen — informieren
3. das Portemonnaie stehlen — ausschalten — verlieren
4. das Handy   einschalten — einlegen — ausschalten
5. den Dieb   stehlen — suchen — finden

⊘ NACH AUFGABE 2

GRAMMATIK

4a **Welche Verben aus dem Kursbuch (S. 44, Aufgabe 2) haben im Präteritum –te wie sollte und welche sehen ganz anders aus als im Präsens, wie war? Ergänze.**

sollte: _fehlte,_ _____

war: _ging,_ _____

b **Erinnerst du dich? Ergänze das Präteritum.**

> Diese Verben sind unregelmäßig. Sie haben kein -te.

	Präsens	Präteritum
er/sie	kann	
er/sie	darf	
er/sie	muss	
er/sie	hat	

> Zu den unregelmäßigen Verben gehören auch wenige Verben mit Endung -te. Auch so:
> bringen → brachte, denken → dachte, wissen → wusste

c Konjugiere die Verben. Ergänze dann die Regel.

Präteritum: regelmäßige Verben mit Endung -te		
	machen	warten
ich	machte	wartete
du	machtest	wart____
er/es/sie	mach____	wart____
wir	machten	wart____
ihr	machtet	wart____
sie/Sie	mach____	wart____

Präteritum: unregelmäßige Verben		
	gehen	fahren
ich	ging	fuhr
du	gingst	fuhr____
er/es/sie	ging	fuhr____
wir	gingen	fuhr____
ihr	gingt	fuhr____
sie/Sie	gingen	fuhr____

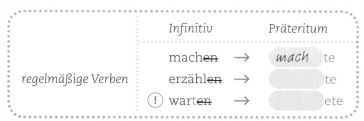

regelmäßige Verben

	Infinitiv		Präteritum
	mach~~en~~	→	*mach* te
	erzähl~~en~~	→	____ te
(!)	wart~~en~~	→	____ ete

> Du findest die Liste der unregelmäßigen Verben auf Seite 100. Lern sie auswendig.

5 Ergänze die Verben im Präteritum. Alle Verben sind regelmäßig.

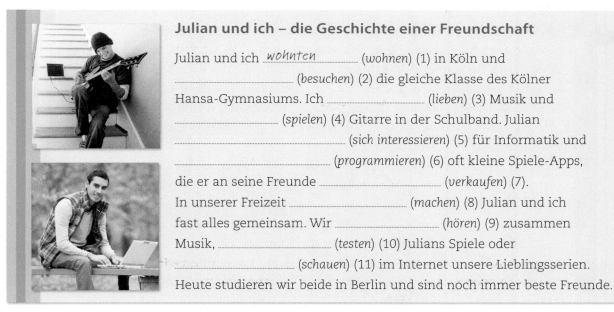

Julian und ich – die Geschichte einer Freundschaft

Julian und ich _wohnten_ (wohnen) (1) in Köln und _____ (besuchen) (2) die gleiche Klasse des Kölner Hansa-Gymnasiums. Ich _____ (lieben) (3) Musik und _____ (spielen) (4) Gitarre in der Schulband. Julian _____ (sich interessieren) (5) für Informatik und _____ (programmieren) (6) oft kleine Spiele-Apps, die er an seine Freunde _____ (verkaufen) (7). In unserer Freizeit _____ (machen) (8) Julian und ich fast alles gemeinsam. Wir _____ (hören) (9) zusammen Musik, _____ (testen) (10) Julians Spiele oder _____ (schauen) (11) im Internet unsere Lieblingsserien. Heute studieren wir beide in Berlin und sind noch immer beste Freunde.

6 Was passt zusammen? Verbinde.

1. fand — a) sehen
2. gab — b) bringen
3. hatte — c) haben
4. brachte — d) lesen
5. las — e) finden
6. sah — f) schreiben
7. schrieb — g) geben
8. dachte — h) denken

7 Erinnerst du dich noch an Sofies Erlebnis mit dem Kätzchen in Lektion 41? Ergänze die passenden Verben im Präteritum. Die <u>unterstrichenen</u> Verben sind regelmäßig.

> Du weißt schon: Das Perfekt benutzt man, um über Vergangenes zu berichten. In schriftlichen Erzählungen verwendet man aber meistens das Präteritum.

gehen × bringen × haben × ~~finden~~ × geben ×
wollen × <u>vermissen</u> × holen × <u>fragen</u> × <u>erlauben</u>

Sofie und ihre Freundin Lilian _fanden_ (1) im Park ein Kätzchen. Sie _____ (2) zwar viele Leute, aber niemand _____ (3) es. Dann _____ (4) sie mit dem Kätzchen nach Hause, _____ (5) in einem Zoo-Geschäft Futter und _____ (6) es dem Kätzchen zusammen mit Wasser. Es _____ (7) solchen Durst. Sofie _____ (8) das Kätzchen zwar gern behalten, aber ihre Eltern _____ (9) es leider nicht. Deshalb _____ (10) die Mädchen es ins Tierheim.

8a Ergänze die Verben im Präteritum. Benutze dazu die Liste auf Seite 100.

⊕

DAS MONSTER

An einem Samstag _waren_ (sein) (1) ich und noch ein paar Freunde bei Katharina zu Besuch. Wir ~~hören~~ _hörten_ (hören) (2) Musik, _redeten_ (reden) (3) und _hatten_ (haben) (4) viel Spaß. Am Abend _schlag~~ten~~_ Katharina dann etwas Tolles _vor_ (vorschlagen) (5). Sie _erzählten_ (erzählen) (6) uns von einem alten Haus ganz in der Nähe. Weil es schon dunkel _waren_ (sein) (7), _nahmen_ (nehmen) (8) wir Taschenlampen und _gingen_ (gehen) (9) zu dem Haus. Das alte Haus _sahen_ schrecklich _aus_ (aussehen) (10): dunkel und schmutzig. Wir _schauten_ (schauen) (11) vorsichtig durch ein kaputtes Fenster. Doch in der Dunkelheit _kannten_ (können) (12) wir nichts sehen. Plötzlich _hörten_ (hören) (13) <u>ich</u> ein lautes „Au" und etwas ~~ta~~ _liefen_ (laufen) (14) zwischen meinen Beinen durch.
Vor Angst _ließ_ (lassen) (15) ich die Lampe fallen und _begann~~en~~_ (beginnen) (16) zu laufen. Meine Freunde _kamen_ (kommen) (17) hinter mir her und so _waren_ (sein) (18) wir fünf Minuten später wieder bei Katharina zu Hause.
Ein Monster _musste_ (müssen) (19) sich in dem alten Haus verstecken. Wir _erzählten_ (erzählen) (20) sofort alles Katharinas Vater.
Er _wollten_ (wollen) (21) selbst sehen, wer in dem Haus _lebten_ (leben) (22), und so _gingen_ wir alle zusammen zu dem Haus _zurück_ (zurückgehen) (23). Katharinas Vater _fanden_ (finden) (24) die Taschenlampe und _sahen_ (sehen) (25) ins Fenster. Doch plötzlich _fingen_ er _an_ (anfangen) (26) zu lachen und _sagten_ (sagen) (27): „Kommt mal her, ich zeige euch das furchtbare Monster!" Vorsichtig _kamen_ (kommen) (28) wir näher. In dem Haus _saßen_ (sitzen) (29) eine dicke Tiger-Katze und wir _hörten_ (hören) (30) jetzt ein lautes „Miau". Wahrscheinlich _hatten_ (haben) (31) sie großen Hunger.

b Erfinde ein neues Ende für die Geschichte. Schreib den Text ab „... wieder bei Katharina zu Hause" neu in dein Heft.

↓ NACH AUFGABE 4

9 Ergänze Verben, bei denen sich das Präteritum reimt. Die Liste auf Seite 100 hilft dir.

1. finden — fand   *stehen – stand*   5. rufen — rief
2. kommen — kam   6. bringen — brachte
3. schreiben — schrieb   7. gehen — ging
4. sitzen — saß   8. springen — sprang

↓ NACH AUFGABE 6

GRAMMATIK

10a Welche Skizze passt? Ordne zu.

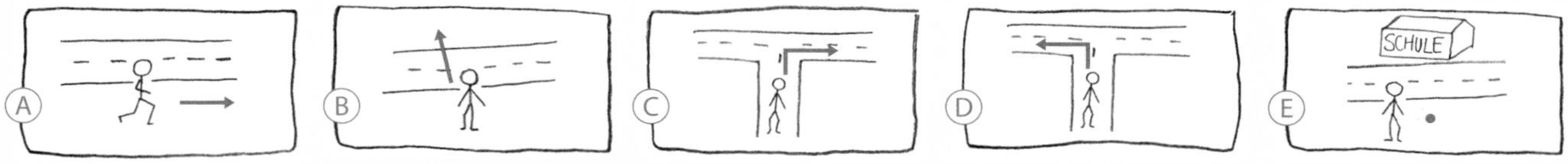

Ⓑ Nicki geht <u>über die Straße</u>.
○ Nicki geht links um die Ecke.
○ Nicki wartet gegenüber der Schule.
○ Nicki biegt rechts ab.
○ Nicki geht die Straße entlang.

entlang|gehen und ab|biegen sind trennbare Verben.

b Unterstreiche in 10a die Präpositionen und die Nomen wie im Beispiel.
Ergänze dann die Regel: Dativ oder Akkusativ?

gegenüber + _____   über + _____   um + _____

11 Was passt? Ergänze.

zum × bis zum × bis zur × gegenüber × um × über × entlang × ab
(handwritten: until, to, around, about, along, from)

◆ Entschuldigung, ich möchte *zum* (1) Café 24. Wie komme ich am besten dorthin?
● Gehen Sie hier die Lenbachstraße *entlang* (2) *bis zum* (3) Kreuzung.
Da gehen Sie links *um* (4) die Ecke und dann geradeaus *gegenüber* (5)
Bahnhof. Beim Bahnhof biegen Sie rechts *ab* (6), danach brauchen Sie nur
noch *entlang* (7) die Straße zu gehen. Das Café ist genau *über* (8)
dem Bahnhof.

(handwritten notes: abbiegen = turn)

12 Schau den Plan an und beantworte die Fragen. Schreib in dein Heft.

1. Wo ist die Apotheke?   3. Wo ist die Polizei?
2. Wo ist der Kiosk?   4. Wo ist das Fitness-Studio?

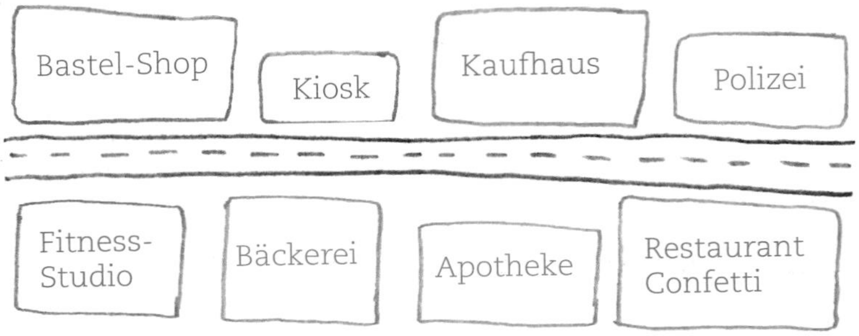

1. Die Apotheke ist gegenüber dem Kaufhaus.
2. ...

13 Sag Nicki, wie er gehen soll. Verwende *abbiegen, entlanggehen, gehen + über.*
Schreib in dein Heft.

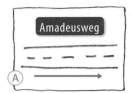   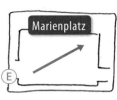 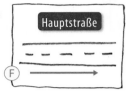

> A. Geh den Amadeusweg ...
> B. ...

NACH AUFGABE 11

14 Was ist richtig? Unterstreiche.

Scribble IT
Alle, die gern zeichnen, wissen, was sie beneidet / erwartet (1). Die beste App für Skizzen. Sie ist echt toll und macht sehr viel Spaß.

top gekleidet
Meine Freunde überzeugen / beneiden (2) mich um diese App. Sie ist einfach super. Damit findet man immer den passenden Look. Ich kann sie nur mit 5 Sternen checken / bewerten (3).

WLAN-Finder
Diese App hat mich bewertet / überzeugt (4). Damit findet man ganz einfach und schnell einen freien WLAN-Spot in jeder Stadt. Sehr praktisch!

Kuss-Test
Ich habe mir diese App gestern heruntergeladen und sofort gecheckt / eingelegt (5). Ich finde sie total witzig. Du musst dein Smartphone erwarten / küssen (6). Das sieht super lustig aus.

15 Was passt? Ergänze.

> unterwegs × überall × genau × öffentlich

1. ▼ Hast du mein Handy gesehen? Ich habe es schon _____ gesucht, aber ich kann es nicht finden. ● Ich glaube, es liegt auf dem Sofa.
2. ◆ Gibt es hier eine _____e Bibliothek? ▼ Ja klar, sie hat übrigens eine ganz tolle Homepage.
3. ▲ Kommt Papa nicht zum Essen? ◆ Nein, er ist noch mit einem Kollegen _____ und kommt später.
4. ● Wann kommt denn Katis Zug an? ▲ _____ um 7.23 Uhr.

NACH AUFGABE 12

16a Was ist richtig? Unterstreiche.

1. Hast du nicht mal Lust auf eine neue Frisur? Mit dieser App kannst du jede Frisur ausprobieren / ausschalten .
2. Mit meiner neuen App kann ich Vokabeln üben, auch wenn ich unterwegs bin. Auf diese App kann ich nicht mehr verzichten / ausgeben .
3. Du hast so schöne lange Haare. Ich bewerte / beneide dich darum.

b Lies noch einmal die Sätze in 16a und ergänze die Präpositionen.

Lust haben _____ + *Akkusativ*   verzichten _____ + *Akkusativ*   beneiden _____ + *Akkusativ*

17a **Unterstreiche die Relativpronomen. Zeichne Pfeile zum Bezugswort wie im Beispiel.**

1. Hier ist der WC-Sucher, mit <u>dem</u> du überall eine öffentliche Toilette finden kannst.
2. Ich zeige dir das neue Spiel, auf <u>das</u> du dich schon so lange gefreut hast.
3. Das sind die neuen Apps, mit <u>denen</u> du immer viel Spaß haben kannst.
4. Hier ist der WC-Sucher, auf <u>den</u> kein Tourist mehr verzichten will.
5. Und hier ist die App, mit <u>der</u> du ganz schnell deine Traumfigur bekommst.
6. Das ist meine Sportuhr, ohne <u>die</u> ich nie joggen gehe.

b **Lies die Sätze in 17a noch einmal. Steht die Präposition vor dem Relativpronomen im Akkusativ oder Dativ? Notiere.**

Präposition mit Akkusativ: Sätze ....
Präposition mit Dativ: Sätze   *1,* ....

> Du weißt schon:
> Auch das Bezugswort bestimmt das Relativpronomen:
>
> *der WC-Sucher, mit dem*
> *die App, mit der*

c **Ergänze die Regel.**

> In Relativsätzen mit Präposition bestimmt die ....,
> ob das Relativpronomen im <u>Dativ</u> oder im <u>Akkusativ</u> steht.

18 **Ergänze die Relativpronomen und verbinde.**

1. Wie heißt der Junge, auf *den* Simon zuerst wütend war?
2. Wie heißt der Junge, mit .... sich Sofie wegen eines Fotos im Internet gestritten hat?
3. Wie heißt der Junge, über .... sich Carla so sehr geärgert hat?
4. Wie heißt die Frau, über .... du im Interview zum Thema „Kauf-Nix-Tag" etwas erfahren hast?
5. Wie heißt die Freundin, mit .... Sofie im Park das Kätzchen gefunden hat?

ⓐ Elias
ⓑ Mina Waller
ⓒ Sven
ⓓ Lilian
ⓔ Nick

19a **Verbinde die Sätze wie im Beispiel. Schreib in dein Heft.**

Worauf kannst du nicht verzichten?

1. Auf meine neue Witze-App. Mit der App kann ich jeden Tag lachen.
2. Auf meinen kurzen schwarzen Rock. Ohne ihn gehe ich zu keiner Party.
3. Auf meine Freunde. Für sie würde ich alles tun.
4. Auf mein cooles T-Shirt vom FC Barcelona. Um das T-Shirt beneiden mich alle meine Freunde.
5. Auf mein Taschengeld. Damit kaufe ich mir immer neue Comics.
6. Auf meine Brille. Ohne sie finde ich nicht mal unsere Wohnungstür.
7. Auf meine Lieblingssendungen im Fernsehen. Dafür komme ich immer pünktlich nach Hause.

> Du kennst schon die Pronomen *da(r)* + Präposition:
> *da + mit → damit*
>
> *mit dem Taschengeld = damit*

> *1. Auf meine neue Witze-App, mit der ich jeden Tag lachen kann.*

b **Und worauf kannst du nicht verzichten? Schreib Relativsätze in dein Heft wie in 19a.**

Correct answer in Blue

20 Unterstreiche das Verb im <u>Relativsatz</u>. Lies den Tipp.
Ergänze dann das Relativpronomen im <u>Akkusativ</u> oder im <u>Dativ</u>.

1. ▼ Wo hat jemand Simon das Handy weggenommen? *(someone)*
   ● Im Westbad, in __das__ Simon im Sommer immer <u>fährt</u>.

2. ■ Wo hat Simon gesessen und gewartet?
   ▲ Am Computer, an ~~die~~ ~~dem~~ er immer seine → **dem**
   <u>Computerspiele</u> spielt.

3. ◆ Wohin ist der <u>Dieb</u> mit dem Handy gegangen?
   ■ In die Bäckerei, in ~~die~~ Simons Mutter auch immer → **der**
   einkauft.

4. ● Wo ist Simons Handy jetzt? ▼ In der Straße, in
   __dem__ Sven wohnt.

5. ▼ Wer ist Sven? ● Ein Freund aus <u>der</u> Informatik-AG,
   in __dem__ ~~die~~ Simon schon seit zwei Jahren <u>geht</u>.

6. ▲ Wohin hat Sven Simons Handy gelegt?   *bewegen*
   ◆ Auf <u>den</u> Schreibtisch, auf __den__ er immer seine
   Schulsachen legt.

> Du weißt schon: Die Präpositionen *in*, *an*, *auf*, … sind Wechselpräpositionen.
>
> 🧍 *Wo? in, an, auf, … + Dativ*
>
> 🧍→☐ *Wohin? in, an, auf, … + Akkusativ*

AUSSPRACHE

21 **Wortgruppen-Akzent: Hör zu, klopf mit und sprich nach.**

25 ◉))

1. (zwei Wörter)
   • ● nach links
   • ● • ins Schwimmbad
   • • ● kein Problem

2. (drei Wörter)
   • • • ● • über die Straße
   • • ● • bis zur Kreuzung
   • • • ● • • • über die Schillerstraße

3. (vier Wörter:)
   • • • ● • rechts um die Ecke
   • • • • ● • bis zur nächsten Kreuzung
   • • • ● • da ist das Kino

> Jede Wortgruppe hat einen Akzent. Man betont meistens die wichtigste Information. Präpositionen und Artikel betont man normalerweise nicht.

22a **Hör zu und sprich nach.**

26 ◉))

● Entschuldigung. Ich suche das <u>Kino</u>.
▲ Kein Pro<u>blem</u>. Du gehst bis zur nächsten <u>Kreuzung</u>, dann über die <u>Schillerstraße</u> und dann rechts um die <u>Ecke</u>.
● Äh Moment, wie bitte? Bis zur nächsten <u>Kreuzung</u> und dann?
▲ Ja, genau: bis zur nächsten <u>Kreuzung</u>, dann über die <u>Schillerstraße</u> und dann <u>rechts</u> um die Ecke.
● Aha. Bis zur nächsten <u>Kreuzung</u>, dann über die <u>Schillerstraße</u> und dann <u>links</u> um die Ecke.
▲ Nein, <u>rechts</u> um die Ecke!
● Ach ja, rechts.
▲ Genau! Da ist das <u>Kino</u>.
● Äh, Entschuldigung, wie war das noch mal?

b **Sprecht den Dialog zu zweit. Tauscht dann die Rollen.**

🌐 die App, -s ....

🌐 installieren .... Simon ~ auf seinem Handy eine neue App ~. (*Perfekt*)

der Dieb, -e .... Ein ~ hat Simons Handy gestohlen.

✂ aus|schalten .... Simon hat sein Handy angerufen. Er hat aber nichts gehört, weil der Dieb das Telefon ~ ~. (*Perfekt*)

✂ ein|schalten .... ↔ aus|schalten

die Polizei (nur Sg.) .... ● Jemand hat mein Handy gestohlen!! ▲ Du musst sofort zur ~ gehen.

🌐 die Karte, -n .... ■ Ich habe mir für mein Handy eine neue SIM-~ gekauft.

✂ ein|legen .... Der Dieb ~ seine eigene SIM-Karte ins Handy ~. (*Perfekt*)

sich setzen .... Simon ~ ~ an seinen Computer. Dort sitzt er dann den ganzen Nachmittag und spielt.

> *das Netz = das Internet*

das Netz, -e .... ● Darf ich mit deinem Smartphone ins ~ gehen? Ich will kurz meine E-Mails lesen.

möglich .... Mit dieser App ist es ~, den Dieb zu finden.

🌐 das Fitness-Studio, -s ....

---

den Weg beschreiben

gegenüber + *Dativ*

gehen über + *Akkusativ*

um die Ecke gehen

entlang|gehen
(er/es/sie ging entlang, ist entlanggegangen)

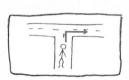

ab|biegen
(er/es/sie bog ab, ist abgebogen)

genau

....

▲ Wo ist denn der Supermarkt?
◆ Er ist ~ gegenüber dem Fitness-Studio.

der Punkt, -e

....

■ Wo ist das Handy? An ~ A oder B?
▲ Da, an ~ B, das ist die Bäckerei.

dorthin

....

▼ Entschuldigung, ich suche das Kino. Kannst du mir sagen, wie ich ~ komme?

> wo? → dort
> wohin? → dorthin

Verzeihung!

....

= Entschuldigung!

überall

....

= an jedem Ort

überzeugen

....

Simon ~ seinen Freund ~, dass man mit der App sein Handy finden kann. (*Perfekt*)

die Figur, -en

....

◆ Sarah hat ja wirklich eine Traum~.
▼ Ja, sie macht auch ganz viel Sport.

fantastisch

....

= besonders toll

öffentlich

....

◆ Mist, ich muss auf die Toilette gehen.
▼ Was? Hier, im Stadtzentrum?
◆ Ja, hier muss es eine ~ Toilette in der Nähe geben.

erwarten

....

● Die WC-App informiert dich über die Qualität einer Toilette. Dann weißt du, was dich ~.

bewerten

....

◆ Die Kuss-App ist fantastisch. Ich ~ sie mit fünf Sternen.

küssen

....

der Kuss, ⁻e

....

> küssen → der Kuss

checken

....

Die Kuss-App ~, wie gut man küssen kann.

beneiden um + *Akkusativ*

....

■ Ich ~ ~ ~ deine schönen Haare.

unterwegs sein

....

● Auf die WC-App möchte ich nicht mehr verzichten, wenn ich lange in der Stadt ~ ~.

Einfach Sprachen lernen

1a Finde noch sieben Verben zum Thema *Sprache und Kommunikation.*

BL(SPRECHEN)IVUNREDENPRAVERSTEHENWANBEHAUPTENLST

PARERKLÄRENTARAUSSPRECHENDOBERZÄHLENZBEDEUTENR

b Ergänze Verben aus 1a in der richtigen Form.

1. ■ Marcel _____, dass er zehn neue Vokabeln in fünf Minuten lernen kann.

   ◆ Glaubst du das? Ich nicht!

2. ▼ Leo schreibt in seinen E-Mails am Schluss immer LG. Was heißt das denn?

   ■ Es _____ „Lieben Gruß" oder „Liebe Grüße".

3. ● Schau mal, in dem Film spielt deine Lieblingsschauspielerin,

   Keira Knightley. Habe ich ihren Namen richtig _____?

   ▼ Ja, das „ei" spricht man wie „i".

2 Was passt? Unterstreiche.

1. ◆ Ihr müsst ungefähr / aktiv am Unterricht teilnehmen, wenn ihr eine gute Note wollt.

   ▲ Oje, ich dachte, es ist schon genug, wenn ich aufpasse!

2. ▼ Ich würde gern mal wieder ins Eiscafé gehen, aber du willst bestimmt / besser Fußball spielen, oder?

   ◆ Ja, ich habe mich schon verabredet.

3. ■ Wer hat denn den Foto-Wettbewerb gewonnen?

   ● Das darf ich nicht sagen, es ist noch geheim / geeignet.

4. ■ Treffen wir uns am Samstag dann vor dem Kino?

   ▼ Hm, ich könnte dich eigentlich auch abholen. Wir telefonieren noch mal damit / miteinander, ja?

5. ▼ Worüber schreibt Phillipp denn in seinem Blog?

   ● Ach, über ganz fleißige / alltägliche Themen: Sport, Musik, Schule und so was.

3 Ergänze die fehlenden Buchstaben in den Artikelfarben.

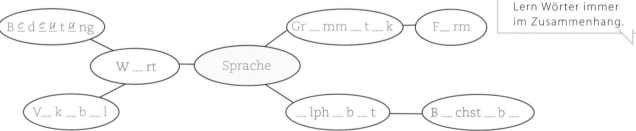

Lern Wörter immer im Zusammenhang.

Bedeutung — Wort — Sprache — Gr___mm___t___k — F___rm

V___k___b___l

___lph___b___t — B___chst___b___

4 Ergänze die Verben in der richtigen Form.

1. ● Die Ausstellung _____ aus zwei Teilen: „Schule heute"
   und „Schule gestern". ◆ Oh, das ist sicher interessant!

2. ▼ Wir müssen einen Text mit 120 Wörtern schreiben. Ich habe schon 100,
   ich habe sie gerade _____. ■ Na, dann bist du ja bald fertig.

3. ● Viktoria war früher immer ziemlich blöd zu mir, aber jetzt ist sie total nett.

   ▼ Ja, sie hat sich _____!

ändern
zählen
bestehen

5 **Was machst du *ohne große Mühe?* Was machst du *mit viel Mühe?* Kreuze an.**

	ohne große Mühe	mit viel Mühe
1. Vokabeln lernen	○	○
2. früh aufstehen	○	○
3. das Zimmer aufräumen	○	○
4. das Fahrrad reparieren	○	○
5. mit Stäbchen essen	○	○
6. eine Party organisieren	○	○
7. eine Präsentation machen	○	○

↓ NACH AUFGABE 3

6 **Ergänze die Verben in der richtigen Form.**

> ausreichen ✕ beschreiben ✕ erfinden ✕ zuhören

▲ Heute haben wir im Deutschunterricht eine witzige Aufgabe gemacht.

◆ Ach ja? Erzähl mal.

▲ Es war eine Partneraufgabe: Ein Partner bekam ein Bild. Er durfte es dem anderen aber nicht zeigen. Er musste es _____ (1).

◆ Und der andere Partner?

▲ Der andere Partner musste gut _____ (2) und sollte das Bild dann zeichnen. Es war total lustig.

◆ Cool! Bei uns war es heute auch ganz gut. Wir haben eine Geschichte gelesen und sollten dann in Gruppen das Ende _____ (3). Wir hatten ganz viele Ideen. Am Schluss hat die Zeit gar nicht _____ (4). Ich schreibe sie jetzt zu Hause zu Ende.

▲ Toll. Kann ich die Geschichte dann mal lesen?

◆ Ja klar!

↓ NACH AUFGABE 4

GRAMMATIK

7a **Schau die Bilder an, lies die Sätze und ergänze.**

> obwohl ✕ weil

1. Lina und Marvin haben viel Spaß zusammen, _____ sie das gleiche Hobby haben.

2. Paul und Emma verstehen sich ganz prima, _____ sie total verschieden sind.

b **Lies noch einmal die Sätze in 7a. Ergänze dann die richtige Konjunktion und das Verb.**

> *konzessiver Nebensatz: Konjunktion obwohl*
>
> *Ende*
>
> Sie verstehen sich ganz prima. Sie sind total verschieden.
>
> Sie verstehen sich ganz prima, _____ sie total verschieden _____.

8 **Verbinde die Sätze mit *obwohl*.**

1. Ich verstehe den Text nicht, *obwohl ich* _____

_____

(*Ich habe ihn schon dreimal gelesen.*)

2. Levin macht in seinem Englischbuch nie die Aussprache-Übungen, _____

_____

(*Er weiß, dass seine Aussprache nicht so gut ist.*)

3. Den Film „Jurassic World" sehen bestimmt auch viele Kinder, _____

_____

(*Er ist für Kinder eigentlich nicht geeignet.*)

4. Gabi ist echt nett: Sie übersetzt mir den Artikel, _____

_____

(*Sie hat eigentlich keine Zeit.*)

9 **Ergänze die Sätze mit *obwohl* oder *weil*. Schreib in dein Heft.**

1. Ich verstehe Fiona gut. (*die Wörter so klar aussprechen / so leise sprechen*)
2. Joshua will sich noch einen Film ansehen. (*sein Lieblingsschauspieler mitspielen / es schon sehr spät sein*)
3. Till möchte Sprachen studieren und Übersetzer werden. (*sich auch für Mathematik interessieren / Sprachen total spannend finden*)
4. Unsere Klasse möchte nächstes Jahr in Deutsch unbedingt wieder Herrn Bader haben. (*die Grammatik so gut erklären können / sehr streng sein*)

> Du weißt schon: Du kannst auch mit dem Nebensatz beginnen. Das Subjekt im Hauptsatz steht dann hinter dem Verb: *Obwohl sie total verschieden sind, verstehen sie sich prima.*

> 1. Ich verstehe Fiona gut, weil sie die Wörter so klar ausspricht.
> Ich verstehe Fiona gut, obwohl sie so leise spricht.

10 **Schreib zu jedem Bild einen Satz mit *obwohl*.**

A. _____

_____

B. _____

_____

C. _____

_____

↓ NACH AUFGABE 7 |

11 Ergänze die fehlenden Nomen und Verben.

1. erfinden   *die Erfindung*   7. *bedeuten*   die Bedeutung

2. behaupten _____   8. _____ die Einführung

3. ändern _____   9. _____ die Lösung

4. übersetzen _____   10. _____ die Wiederholung

5. beschreiben _____   11. _____ die Prüfung

6. zeichnen _____   12. _____ die Ausstellung

12 Was ist richtig? Unterstreiche.

1. ■ Max ist ein bisschen nervös, weil er jetzt anfängt zu studieren und alles so neu ist.
   ▲ Die Universität bietet doch immer eine Einführung / Bedeutung für die neuen Studenten an. Dafür sollte er sich anmelden.

2. ● Was sind denn Hieroglyphen? Ich verstehe das Wort nicht.
   ■ Das ist eine alte Bilderschrift aus Ägypten. Die Ägypter hatten kein System / Gespräch von Buchstaben, sie schrieben mit kleinen Zeichnungen.

3. ◆ Was hängt an der Wand und macht „tick tack"? Ist das nicht ein blödes Rätsel / Bild ?
   ▲ Ich finde es eigentlich ganz witzig: Es ist eine Uhr, nicht?

4. ◆ Björn spricht Englisch und Spanisch und jetzt lernt er auch noch Griechisch.
   ■ Ja, er interessiert sich sehr für vegetarische / europäische Sprachen und Kulturen.

5. ● Wo ist denn schon wieder mein Handy? ■ Bist du blind / blond ? Es liegt doch direkt vor dir auf dem Tisch!

13 Was passt? Ergänze.

Kommunikation ✕ Beruf ✕ Literatur

1. _____

Comic
Fantasy
Roman

2. _____

Dolmetscher
Sprachtrainer
Übersetzerin

3. _____

Gespräch
Schrift
Körpersprache

14 Was bedeutet diese Körpersprache? Verbinde.

die Hände rechts und links an den Kopf legen

den Finger auf den Mund legen

die Hand an den Kopf legen

Ich muss nachdenken.

Das ist ja furchtbar!

Bitte leise sein.

NACH AUFGABE 9

15 **Ergänze.**

Kita × automatisch × eignen × zweisprachige × aufwachsen

Kinder mit zwei Muttersprachen

Ein Kind kann meistens mit einem Jahr „Mama" und „Papa" sagen und mit ungefähr zwei Jahren kleine Sätze sprechen. Wenn aber die Eltern aus verschiedenen Ländern kommen und die Kinder mit zwei Sprachen _aufwachsen_ (1), dauert das oft etwas länger. Nicht wegen der Grammatik: Die lernen _____ (2) Kinder genauso schnell wie Kinder mit nur einer Muttersprache. Aber sie müssen zweimal so viele Wörter lernen wie andere Kinder – und dafür brauchen sie mehr Zeit. Die Kinder lernen auch nicht beide Sprachen _____ (3) gleich gut. Fast immer gibt es eine „stärkere" Sprache. Aber Lieder, Spiele und Geschichten _____ (4) sich gut, um auch die zweite Sprache „stark" zu machen. Und eins ist sicher: Wer schon früh eine zweite Sprache lernt, hat Vorteile. Also am besten schon in der _____ (5) anfangen!

16a **Welche Wörter passen zu „sprache"? Ergänze. Zwei Wörter passen nicht.**

neu × aus × Vater × fremd × Mutter × geheim × Körper

> Denk daran: Nomen schreibt man immer groß.

Aus — sprache

b **Schreib die Wörter richtig. Ergänze bei den Nomen auch den Artikel.**

1. SPRÄCHGE _____
2. ERSPRECHLAUT _____
3. CAMPSPRACH _____
4. IGZWEISPRACH _____

17 **Schreib einen kurzen Text über dein eigenes Sprachenlernen in dein Heft.**
Die Fragen helfen dir. Schreib ein bis zwei Sätze zu jeder Frage.

1. Welche Sprachen sprichst du?
2. Wie hast du sie gelernt?
3. Was hilft dir besonders beim Sprachenlernen / Deutschlernen?
4. Würdest du gern noch mehr Sprachen lernen? Welche?

Meine Sprachen: Ich spreche ...

GRAMMATIK

18a Wann ist oder war das in Alicias und Tobias' Leben? Ordne die Sätze
der Zeitleiste zu und ergänze die entsprechenden Nummern.

Alicia:

Ⓐ Mit 11 Jahren kam Alicia in ein zweisprachiges Gymnasium. ②

Ⓑ Schon als Kind hatte sie eine zweisprachige Schule besucht. ◯

Ⓒ Heute ist sie Übersetzerin. ◯

Tobias:

Ⓐ Heute studiert Tobias englische Literatur. ③

Ⓑ Mit 14 Jahren ist er in eine englische Schule gekommen. ◯

Ⓒ Als Kind war er in einer deutschen Schule gewesen. ◯

① ② ③

VERGANGENHEIT VERGANGENHEIT GEGENWART

Plusquamperfekt *Perfekt oder Präteritum* *Präsens*

b Unterstreiche in **18a** die Verben im Plusquamperfekt und ergänze die Tabelle.

Plusquamperfekt:						
haben (Präteritum) + Partizip Perfekt			sein (Präteritum) + Partizip Perfekt			
ich	_____		ich	_____		
du	_____		du	_____		
er/es/sie	*hatte*		er/es/sie	*war*		
wir	_____	…	*besucht*	wir	_____	…	*gewesen*
ihr	_____		ihr	_____		
sie/Sie	_____		sie/Sie	_____		

c Schau noch einmal die Sätze und die Zeitleiste in **18a** an und lies die Regel.
Was ist richtig? Unterstreiche.

Das Plusquamperfekt bildet man mit dem Präteritum / Präsens von *sein* und *haben* und dem Partizip Perfekt.

Das Plusquamperfekt beschreibt ein Ereignis, das in der Vergangenheit / Gegenwart vor / nach einem anderen Ereignis passiert ist. Das andere Ereignis steht im Perfekt oder Präteritum.

19 Ergänze die Verben im Plusquamperfekt.

werden ✕ verlieren ✕ sein

① Chiara 🇩🇪🇮🇹 Meine Mutter hat meinen Vater auf dem Flughafen kennengelernt.
Er _____ sein Ticket _____ .

② Tomasz 🇩🇪🇵🇱 Meine Eltern _____ in einem Vortrag _____ und
haben dann an der Bushaltestelle auf denselben Bus gewartet.

③ Bob 🇺🇸🇩🇪 Meine Eltern haben sich in der Basketballmannschaft kennengelernt.
Mein Vater _____ gerade der neue Trainer _____ .

20 Ergänze in Simons Lieblingsmärchen die Verben im Plusquamperfekt.

Hänsel und Gretel

Es waren einmal ein Mann und eine Frau. Sie hatten zwei Kinder, einen Jungen und ein Mädchen. Dem Jungen _hatten_ sie den Namen Hänsel _gegeben_ (geben) (1), das Mädchen nannten sie Gretel.

Einmal ging der Vater mit seinen Kindern in den Wald. Er wollte Holz für den Winter sammeln, denn die Familie war sehr arm. Seine Frau _____ ihm aber _____ (sagen) (2), dass er die Kinder im Wald zurücklassen sollte. Denn es gab nicht genug Brot für alle.

Am Abend suchten die Kinder ihren Vater. Aber sie sahen, dass er ohne sie nach Hause _____ (gehen) (3). Sie liefen und liefen und kamen schließlich an ein schönes Haus. Dort wohnte eine alte Hexe. Sie lud die Kinder ein, bei ihr zu bleiben. Und sie gab ihnen viele leckere Sachen zu essen. Aber Gretel wusste, dass die Hexe böse war: Sie sprach im Schlaf und Gretel _____ (hören) (4), dass die Hexe Hänsel braten wollte. Gretel war aber sehr klug und mutig. Sie bereitete einen Plan vor und am Ende musste die böse Hexe selbst im Ofen braten! Der Vater _____ aber noch einmal in den Wald _____ (zurückkommen) (5) und _____ seine Kinder _____ (suchen) (6), denn sie fehlten ihm sehr. Er fand seine Kinder auch und brachte sie wieder nach Hause. Von da an lebte die Familie glücklich zusammen, denn die Hexe _____ sehr reich _____ (sein) (7) und die Kinder _____ alles _____ (mitnehmen) (8).

> Das Plusquamperfekt benutzt man oft in literarischen Texten.

AUSSPRACHE

21 **spr – str: Hör zu und sprich nach.**

 27

| spr → | sprechen | spricht | sprach | gesprochen | Gespräch | Fremdsprache |
| str → | Strand | Straße | streiten | stressig | Streit | anstrengend |

> *spr* und *str* spricht man immer wie *schpr* und *schtr.*

22 **Zungenbrecher: Hör zu und sprich nach.**

 28-29

1. Die Sprachenlehrerin Sylvia Sprange spricht Fremdsprachen wie eine Muttersprachlerin.

2. Der strenge Herr Streil ist anstrengend, denn er macht ständig Stress, stört Straßenkünstler und streitet sich mit ihnen am Strand oder auf Straßenfesten.

Das sind deine Wörter!

bestimmt
....
▼ Deutsch kann man ~ nicht in 30 Tagen lernen, oder?

🌐 aktiv
....

behaupten
....
Sonja Lang ~: Vokabeln lernen ist leicht.

übersetzen
....
▲ Kannst du *danke* auf Englisch ~?
▼ Das heißt *thank you*.

erfinden (er/es/sie erfand, hat erfunden)
....
Frau Lang ~ die Sprache „Toki Pona" ~. (*Perfekt*)

bestehen aus + *Dativ* (er/es/sie bestand, hat bestanden)
....
Toki Pona ~~ nur 14 Buchstaben.

bedeuten
....
„Toki Pona" ~ „gute, einfache Sprache".

die Bedeutung, -en
....
┌─ *bedeuten* → *die Bedeutung*

beschreiben (er/es/sie beschrieb, hat beschrieben)
....
● Kannst du den Platz ~?
◆ Ja, dort gibt es viele Cafés und eine Kirche.

miteinander
....
Sie sprechen ~ auf Englisch.

zählen
....
■ Wie ~ man auf Deutsch?
● *Eins, zwei, drei …*

geeignet sein für + *Akkusativ*
....
Toki Pona ~ nicht ~ schwierige Themen ~.

sich eignen für + *Akkusativ*
....
Toki Pona ~ ~ nicht ~ schwierige Themen.

alltäglich
....
alltägliche Situationen = Situationen, die jeden Tag passieren

obwohl
....
Nur wenige Menschen lernen Toki Pona, ~ die Sprache leicht ist.

geheim
....
● Was schenkst du mir zum Geburtstag?
▲ Sag ich nicht, das ist noch ~.

(die) Mühe, -n
....
Toki Pona ist leicht. Man kann es ohne ~ lernen.

sich ändern
....
Peter ist immer unpünktlich.
Er ~ ~ nie.

beruflich
....
◆ Was machst du ~?
● Ich bin Lehrer.

✂ aus|reichen
....
■ Bei meinem Test ~ die Zeit nicht ~. Ich bin nicht fertig geworden. (*Perfekt*)

✂ aus|sprechen (er/es/sie spricht aus, sprach aus, hat ausgesprochen)
....
┌─ *aussprechen* → *die Aussprache*

europäisch
....
┌─ *Europa* → *europäisch*

das Bild, -er
....
● In Kunst sollten wir heute ein ~ beschreiben.

🌐 die Kultur, -en
....

das System, -e

....

die Einführung, -en

....

die Einführung → einführen

Am Projekttag gibt es eine kurze ~ in andere Schriftsysteme.

blind

....

Der Mann kann nichts sehen. Er ist ~.

der Blinde, -n, / die Blinde, -n

....

der Finger, -

....

Berufe

der Übersetzer, - / die Übersetzerin, -nen

.... / ....

der Dolmetscher, - / die Dolmetscherin, -nen

.... / ....

der Sprachtrainer, - / die Sprachtrainerin, -nen

.... / ....

---

fremd

....

Berufe rund um ~ Sprachen sind Übersetzer und Dolmetscher.

Lern Wörter immer im Zusammenhang.

- die Form, -en
- die Grammatik (nur Sg.)
- die Aussprache, -n

Sprache

- die Kommunikation (nur Sg.)

- die Schrift, -en
- der Buchstabe, -n
- das Alphabet, -e
- die Literatur (nur Sg.)

---

der Körper, -

....

Bei einem Vortrag ist auch die ~sprache sehr wichtig.

das Rätsel, -

....

◆ Ich mache beim EU-Quiz mit, weil ich ~ mag.

die Fantasie, -n

....

Melanie erfindet gern ~wörter.

die Muttersprache, -n

....

▼ Ich komme aus Deutschland und Deutsch ist meine ~.

zweisprachig

....

Irina spricht Deutsch und Russisch. Sie ist ~.

auf|wachsen (er/es/sie wächst auf, wuchs auf, ist aufgewachsen)

....

Meine Mutter ist Deutsche und mein Vater Russe. Ich ~ zweisprachig ~. (*Perfekt*)

automatisch

....

Zweisprachige Kinder lernen die beiden Sprachen nicht ~ gleich gut.

die Kita, -s (= Kindertagesstätte)

....

Kleine Kinder sind oft in der ~.

das Lied, -er

....

In der Kita singen die Kinder jeden Morgen ein ~.

einige

....

= ein paar

NACH AUFGABE 2

1 **Wie kann man es auch sagen? Verbinde.**

1 Hier erfährst du interessante Dinge.

2 Wir beraten dich gern.

3 Die Telefonnummer gilt in allen europäischen Ländern.

a Die Telefonnummer kann man in ganz Europa benutzen.

b Wir geben dir gern Tipps.

c Hier bekommst du interessante Informationen.

2 **Was passt? Schau die Bilder an und ergänze die Sätze unten.**

Babys

Kinder

Jugendliche

Erwachsene

Senioren

1. _Senioren_ nennt man Menschen ab ca. 65 Jahre.
2. _____ sind noch ganz klein. Sie können noch nicht sprechen.
3. _____ sind ungefähr 12 bis 18 Jahre alt und gehen in die Schule oder machen eine Ausbildung.
4. _____ sind ungefähr 2 bis 11 Jahre alt. Sie gehen zuerst in den Kindergarten und später in die Schule.
5. _____ nennt man Menschen ab 18 Jahre.

3 **Schreib die Wörter richtig.**

Immer mehr Jugendliche möchten helfen

Ob im _Altenheim_ (HEIMTENAL) (1), im Krankenhaus, in der Schule oder im Sportverein – es gibt viele Möglichkeiten für Jugendliche, anderen Menschen zu helfen. Hier erzählen Julian, Eva und Tim von ihren _____ (GENERRUNFAH) (2):

„Ich helfe Kindern, die Probleme mit Mathe haben, zweimal pro Woche bei den Hausaufgaben. Wenn sie dann eine gute Note geschrieben haben, sind sie ganz _____ (LOZTS) (3). Das ist ein tolles Gefühl! Nach einem Schuljahr bekommen sie sogar ein kleines _____ (FIZERKATTI) (4) von mir, wenn sie die Hausaufgaben immer gemacht haben."

„Ich bin bei den ‚Krankenhaus-Clowns'. Wir gehen in unseren bunten Kostümen zu Kindern, die im Krankenhaus liegen, und spielen ein bisschen Theater. Die Kinder sind meistens total _____ (TERTGEISBE) (5) und lachen. So können sie auch mal vergessen, dass sie krank sind. _____ (DINGSLERAL) (6) sind sie auch traurig, wenn wir wieder gehen müssen."

„Wir machen in der Schule manchmal Projekte zum Thema ‚_____ (ZIASOLES) (7) Engagement'. Meine Gruppe geht nächste Woche ins ‚Johannishaus'. Wir möchten dort Computerkurse und Spiele für Senioren anbieten."

4 **Was passt zusammen? Verbinde.**

1. Eva kann sowohl die Interviews
2. Julian hilft sowohl seinen Geschwistern
3. Tim bietet sowohl im Altenheim

a) als auch anderen Kindern bei den Hausaufgaben.
b) als auch die Lieder mit ihrem Smartphone aufnehmen.
c) als auch in der Schule Computerkurse an.

> *sowohl ... als auch ... = das eine **und auch** das andere*

5 **Antworte mit *sowohl ... als auch* wie im Beispiel. Schreib in dein Heft.**

1. Hast du in Berlin oder in Köln gewohnt?
2. Isst du Kartoffeln oder Nudeln?
3. Möchtest du Eis oder Schokolade?
4. Was magst du lieber: Cola oder Apfelsaft?

> *1. Ich habe sowohl in Berlin als auch in Köln gewohnt.*

↓ NACH AUFGABE 3 |

GRAMMATIK

6a **Was passt zusammen? Verbinde.**

"Comma"

1. ◆ Hast du jetzt
2. ▼ Nein, ich brauche noch *C* *& still*
3. ◆ Los, dann gehen wir *e*
4. ▼ Ach, du meinst *d* *b*
   ◆ Ja, genau.
5. ▼ Aber da gibt es doch *a* *but*
   ◆ Doch, klar! Warum denn nicht!?

a) nichts, was ihr gefällt!
b) da, wo wir vorhin waren.
c) etwas, was ich Lisa zum Geburtstag schenken kann. *give*
d) alles, was du kaufen wolltest?
e) in das Geschäft, wo es diese witzigen T-Shirts gibt.

b **Unterstreiche in 6a die Relativpronomen *was* und *wo* und zeige mit einem Pfeil auf das Bezugswort.**

> Du kennst schon die Relativpronomen *der/das/die*. Vergiss nicht: Relativsätze sind Nebensätze!

c **Schau noch einmal die Sätze in 6a an und ergänze die Regel.**

> *Relativsätze: Relativpronomen wo, was*
>
> Nach Ortsangaben (*da, dort, in das Geschäft, in Berlin, am See, ...*) beginnt der Relativsatz mit dem Relativpronomen __WO__.
>
> Nach *alles, etwas, nichts, das* beginnt der Relativsatz mit dem Relativpronomen __Was__.

7 **Ergänze *wo* oder *was*.**

Hi! Ich bin Luka aus Husum. Meine Schule liegt an der großen Straße, __wo__ (1) auch unser Einkaufszentrum ist. Im Unterricht nervt mich alles, __Was__ (2) mit Mathe oder Physik zu tun hat. Nur in Biologie machen wir manchmal etwas, __Was__ (3) ich ganz interessant finde. In den Pausen bin ich am liebsten auf dem Platz, __WO__ (4) wir immer Basketball spielen. Sport ist auf jeden Fall das, __Was__ (5) mich am meisten interessiert. Da gibt es einfach nichts, __WO__ (6) ich langweilig finde.

8 Verbinde die Sätze mit *wo* und schreib sie in dein Heft. Achte auf die Position des konjugierten Verbs im Relativsatz.

1. Ich wohne in Hamburg. Da bin ich auch zur Schule gegangen.
2. Morgen fahren wir an den Schaalsee. Da waren wir letzten Sommer auch immer.
3. Ich bin oft dort. Da haben meine Eltern und ich früher Picknick gemacht.
4. In den Ferien fahren wir auf die Insel Spiekeroog. Da dürfen keine Autos fahren.
5. Ich bin abends gern zu Hause. Da habe ich meine Ruhe und kann lesen.

> 1. Ich wohne in Hamburg, wo ich auch zur Schule gegangen bin.

9 Ergänze das passende Relativpronomen.

- Schau mal! Ich glaube, das ist ein Hut, _der_ (1) dir gefallen könnte.
- Nein, tut mir leid. Hier gibt es leider <u>nichts</u>, ~~das~~ was (2) ich interessant finde.
- Aber schau mal da hinten, ist das nicht genau die Tasche, _die_ (3) du immer gesucht hast?
- Nein, eigentlich nicht.
- Und hier! Das ist doch genau <u>der Rock</u>, von ~~der~~ dem (4) du immer geträumt hast.
- Ja, schon, aber der ist doch viel zu teuer.
- Schade. Das ist alles, ~~de~~ ~~was~~ was (5) die hier haben.
- Dann kauf *du* doch etwas, _was_ (6) dir gefällt!

10 Und du? Ergänze.

1. Am liebsten bin ich da, _____
2. Mich interessiert alles, _____
3. Ich lebe dort, _____
4. Manchmal wünsche ich mir etwas, _____
5. Es gibt nichts, _____

↓ NACH AUFGABE 4 |

11 Was passt? Ergänze wie im Beispiel.

> Plan × Gesetz × Kontinente × Dorf × Seefahrer × ~~Fahrt~~ × Dialekt

1. Eine _Fahrt_ ist z. B. eine Reise mit dem Zug oder auf einem Schiff.
2. Afrika, Europa und Asien sind _____ .
3. Ein _____ ist ein Mann, der regelmäßig zur See fährt.
4. In einem _____ steht, was man in einem Land machen darf oder muss.
5. Wenn man etwas vorhat oder organisieren muss, macht man einen _____ .
6. Ein _____ ist eine besondere Form einer Sprache, z. B. Plattdeutsch oder Bayrisch.
7. Ein _____ ist ein kleiner Ort, wo nur wenige Menschen leben.

12a **Elly erzählt aus ihrem Leben. Was passt zusammen? Ordne zu.**

1. Als ich vier Jahre alt war,   (a) war ich sehr glücklich.
2. Ich war sehr stolz,   (b) wollte ich Radfahren lernen.
3. Als ich dann ein eigenes Rad hatte,   (c) als ich schließlich Rad fahren konnte.

b **Lies die Sätze 1 und 2 in 12a noch einmal und ergänze die Verben. Ergänze dann die Regel.**

Nebensatz: Wann?				*Hauptsatz*		
		Ende				
Als	ich	vier Jahre alt	,		ich	Rad fahren

Hauptsatz			*Nebensatz: Wann?*		
				Ende	
Ich	sehr stolz	, als	ich	schließlich Rad fahren	

> *temporaler Nebensatz: Konjunktion* als
>
> Temporale Nebensätze mit _____ beschreiben eine Handlung oder ein Ereignis in der Vergangenheit. Das konjugierte Verb steht am _____.
>
> Der Nebensatz kann vor oder nach dem _____ stehen. Achte auf die Position des Verbs im Hauptsatz!

13 **Wie ging es weiter in Ellys Leben? Verbinde die Sätze mit als. Schreib in dein Heft.**

1. *Elly kam in die Schule.* Sie bekam eine große Schultüte mit Süßigkeiten.
2. Elly war bei ihrer Oma zu Besuch in Hamburg. *Sie lernte ihre Freundin Mara kennen.*
3. Elly fing an, sich für Fußball zu interessieren. *Sie war in der 4. Klasse.*
4. *Ihre Klasse machte bei einem Theaterwettbewerb den ersten Platz.* Elly war stolz.
5. Elly machte Abitur. *Sie war 17.*

> 1. Als Elly in die Schule kam, bekam ...
> 2. Elly war ...

14 **Was ist richtig? Unterstreiche.**

Liebe Oma,
ich bin jetzt schon eine Woche mit Mama, Papa und Ben in Spanien bei Mamas Freundin Maria. Als / Während (1) wir zum ersten Mal hier waren, konnte ich kein Wort verstehen. Das war echt blöd. Also haben Ben und ich dieses Jahr im Internet ein bisschen Spanisch geübt, bevor / während (2) wir losgefahren sind. Und weißt du was?! Das hat sogar Spaß gemacht! Gestern haben wir ein paar Jugendliche am Strand kennengelernt. Als / Bevor (3) ein Junge mich gefragt hat, woher wir kommen, konnte ich sogar auf Spanisch antworten. Das war lustig. Wir wollen auf jeden Fall noch eine Grillparty am Strand machen, während / bevor (4) wir wieder zurück nach Deutschland fliegen. Zuerst waren Mama und Papa nicht begeistert, bevor / als (5) wir sie gefragt haben. Aber Maria fand die Idee sofort super und dann haben sie es erlaubt. Ich hoffe, dir geht's gut! Ganz liebe Grüße auch von Mama, Papa und Ben.
Küsschen von Emma 😊

NACH AUFGABE 7 |

15 **Rätsel: Was könnte das sein? Was glaubst du? Schreib in dein Heft.**

Affe ✕ Banane ✕ Kapitän ✕ Motorschiff ✕ ~~Seefahrer~~ ✕ Segelschiff

(A)

(B)

(C)

(D)

(E)

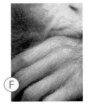
(F)

> Ich nehme an, Bild A ist ... • Ich vermute, Bild B ist ... •
> Vielleicht ist C ... • Wahrscheinlich ist D ... • Bild E könnte ...

Ich nehme an, Bild A ist ein Seefahrer.

16a **Was passt? Finde noch vier Adjektive und ergänze.**

(FRECH)WÜTENDHEIMLICHBEGEISTERTSATT

1. Nicki hat eine gute Note in Mathe. Er ist _____.
2. Nicki ärgert sich. Er ist _____.
3. Nicki darf abends nicht mehr lesen. Er liest trotzdem _____.
4. Nicki macht nicht, was seine Eltern sagen. Er ist *frech* _____.
5. Nicki hat genug gegessen. Er ist _____.

b **Und du? Ergänze die Sätze. Schreib in dein Heft.**

1. Ich bin begeistert, wenn ...   2. Ich bin wütend, wenn ...   3. Ich bin satt, wenn ...

NACH AUFGABE 9 |

GRAMMATIK

17a **Mark erzählt aus seinem Leben. Lies die Sätze und**
schau die Bilder an: Wie ist die Reihenfolge?

> Nachdem ich in
> Bremen den Kindergarten
> besucht hatte, bin ich
> in Hamburg zur Schule
> gegangen.

> Nachdem wir 14
> Jahre in Hamburg
> gelebt haben, wohne
> ich jetzt in Frankfurt.

> Du weißt schon: Mit dem Plusquamperfekt
> beschreibt man etwas, das vor einem ande-
> ren Ereignis in der Vergangenheit passiert ist.

Hamburg

Frankfurt

(1)

Bremen

Simon

88 achtundachtzig

b **Lies die Sätze aus 17a noch einmal und ergänze die Verben.**

Nachdem ich in Bremen den Kindergarten *besucht hatte*, _____ ich in Hamburg zur Schule _____.

VERGANGENHEIT		VERGANGENHEIT
Plusquamperfekt		*Perfekt oder Präteritum*

Nachdem wir 14 Jahre in Hamburg _____, *wohne* _____ ich jetzt in Frankfurt.

VERGANGENHEIT		GEGENWART
Perfekt		*Präsens*

c **Lies die Regel. Was ist richtig? Unterstreiche.**

temporaler Nebensatz: Konjunktion nachdem

Temporale Nebensätze mit *nachdem* beschreiben ein Ereignis, das vor / nach dem Ereignis im Hauptsatz passiert ist.
Wenn der Hauptsatz im Präsens steht, ist die Zeitform im *nachdem*-Satz Perfekt / Präteritum .
Wenn der Hauptsatz im Präteritum oder im Perfekt steht, ist die Zeitform im *nachdem*-Satz Plusquamperfekt / Präteritum .

18 **Verbinde die Sätze mit *nachdem*. Schreib in dein Heft.**

1. *Ich war ein Jahr in den Kindergarten gegangen.* / Ich bin in die Schule gekommen.
2. Ich habe neue Freunde kennengelernt. / *Ich hatte angefangen Volleyball zu spielen.*
3. *Ich hatte fast jedes Wochenende auf Turnieren in Deutschland gespielt.* / Ich durfte zum ersten Mal an einem Turnier im Ausland teilnehmen.
4. Ich fühle mich gut. / *Ich habe heute drei Stunden trainiert.*

> *1. Nachdem ich ein Jahr ...*

19 **Ergänze: *nachdem* oder *bevor*.**

● Opa, schau mal: *Nachdem* _____ (1) ich den Computer jetzt eingeschaltet habe, kannst du hier das Programm öffnen. Aber _____ (2) du einen Text schreiben kannst, musst du zuerst eine Datei öffnen.

■ Und was ist, wenn ich einen Fehler gemacht habe?

● Den kannst du löschen, das ist ganz einfach. Schau hier.

■ Und was mache ich später, _____ (3) ich den Text geschrieben habe?

● Dann kannst du ihn hier speichern.

■ Okay. Und dann?

● _____ (4) du den Text gespeichert hast, kannst du ihn ausdrucken.

■ Und was muss ich machen, _____ (5) ich den Computer ausschalte?

● Zuerst schließt du die Datei und dann beendest du das Programm.

20 Schreib die E-Mail besser. Verbinde die unterstrichenen Sätze mit *nachdem,*
während, bevor und schreib in dein Heft.

Liebe Kiara,
wie geht es dir? Schön, dass wir uns übers Internet wiedergefunden
haben. Wir haben uns ja seit der Grundschule nicht mehr gesehen. Wohnst
du noch in Göttingen? Bei mir ist viel passiert in den letzten Jahren:
<u>Ich hatte die Grundschule in Göttingen beendet. Ich bin in Fulda aufs
Gymnasium gegangen (1).</u> Das weißt du vielleicht noch. Und nach dem Abitur
wollte ich dann unbedingt in Freiburg Medizin studieren. <u>Ich konnte mit
dem Studium anfangen. Vorher musste ich eine Prüfung machen (2).</u> Aber stell
dir vor: <u>Ich saß in der Prüfung. Ich wusste leider plötzlich nichts mehr (3).</u>
Das war mir noch nie passiert. Ich war total am Ende. Zum Glück habe ich eine
zweite Chance bekommen. <u>Ich konnte diese Prüfung wiederholen. Ich musste
aber leider nochmal drei Monate warten (4).</u>
Jetzt studiere ich hier in Freiburg Medizin und es macht mir viel Spaß.
Hoffentlich sehen wir uns bald mal wieder! Willst du mich nicht mal besuchen?
Liebe Grüße
Paula

Liebe Kiara,
wie geht es dir? Schön, dass … Nachdem ich die Grundschule
in Göttingen beendet hatte, …

21 30

fr – pr – tr – kr: **Hör zu und sprich nach.**

fr	→	frech	fressen	Friseur	früh	Freund	froh
pr	→	Preis	Projekt	Prüfung	Prinzessin	Problem	proben
tr	→	traurig	treffen	Traum	Training	tragen	trinken
kr	→	Krimi	Kreuzung	Kraft	krank	Kreditkarte	Kreis

22 31-34

Zungenbrecher: Hör zu und sprich nach.

1. Frohe Friseure frühstücken an freien Freitagen mit
freundlichen Frauen und stellen schon früh freche Fragen.

2. Praktische Prinzessinnen programmieren im
Praktikum Präsentationen für prima Projekte.

3. Treue Traummänner und traurige Traumfrauen träumen
trotzdem von Traumhäusern mit tollen Treppen.

4. Seekranke und kraftlose Krankenpfleger kriegen
in Krankenhäusern kostenlose Krimis.

erfahren (er/es/sie erfährt,
erfuhr, hat erfahren)
....
Auf unserer Webseite kannst du mehr
über die „Nummer gegen Kummer" ~.

> erfahren ⟶ die Erfahrung

beraten (er/es/sie berät, beriet,
hat beraten)
....
● Hast du Probleme? Dann ruf an. Wir
von der „Nummer gegen Kummer" ~
dich gern!

sowohl ... als auch ...
....
Eva hat ~ in Köln ~ ~ in Hamburg
gewohnt.
= Eva hat in Köln und auch in
Hamburg gewohnt.

> *Sowohl ... als auch ...* bedeutet *und auch ...*

gelten (er/es/sie gilt, galt, hat gegolten)
....
Diese Telefonnummer ~ in allen
Ländern.

der Senior, -en / die Seniorin, -nen
....
Ältere Menschen nennt man ~.

das Altenheim, -e
....
Herr Mommsen ist 74 Jahre alt und
wohnt in einem ~.

das Gymnasium, die Gymnasien
....
Simons Schule heißt Max-Planck-~.

allerdings
....
▲ Ich komme gern zu deiner Feier. ~
kann ich erst um 21 Uhr da sein.

(der) Erwachsene, -n /
(die) Erwachsene, -n
....
~ sind Menschen ab 18 Jahren.

das Engagement (nur Sg.)
....
Immer mehr Jugendliche zeigen
soziales ~.

das Zertifikat, -e
....
Simon hat ein ~ für sein soziales
Engagement bekommen.

stolz
....
Simon hat ein Zertifikat bekommen und
ist sehr ~ darauf.

auf|schreiben (er/es/sie schrieb auf,
hat aufgeschrieben)
....
■ Dein Leben klingt total spannend,
Opa. Du solltest es ~.

auf|nehmen (er/es/sie nimmt auf,
nahm auf, hat aufgenommen)
....
Simon ~ die Geschichte von Herrn
Mommsen mit dem Smartphone ~.

die Fahrt, -en
....
◆ In den Ferien haben wir eine ~ mit
dem Schiff gemacht.

der Kontinent, -e
....
Europa ist ein ~.

regelmäßig
....
▼ Ich mache ~ Sport. Jeden Dienstag
spiele ich Basketball.

Schiffe

das Motorschiff, -e

das Segelschiff, -e

durch		Simon ist mit dem Fahrrad ~ den Wald gefahren.
das Dorf, ¨er		Herr Mommsen kommt aus einem kleinen ~ in Ostfriesland.
🌐 der Dialekt, -e		Ein ~ ist eine besondere Form einer Sprache, z.B. Plattdeutsch.
der Seefahrer, -		Ein ~ ist ein Mann, der regelmäßig zur See fährt.

> Wenn man auf einem Schiff arbeitet, dann sagt man: *Man fährt zur See.*

🌐 der Plan, ¨e		◆ Ich möchte gern ein großes Fest organisieren. ▼ Hast du schon einen ~ gemacht?
das Gesetz, -e		In einem ~ steht, was man in einem Land machen darf oder muss.
der Passagier, -e		Ein blinder ~ fährt ohne Ticket auf einem Schiff mit.
vermuten		■ Schade, dass Peter nicht zur Party gekommen ist. ▼ Ja, ich ~, er hatte keine Zeit.
✂ an|nehmen (er/es/sie nimmt an, nahm an, hat angenommen)		= vermuten
verstecken		▲ An Ostern ~ man in Deutschland Eier. Die Kinder müssen sie dann suchen.
heimlich		Jemand hat das Äffchen ~ unter seinem Pullover versteckt und auf das Schiff gebracht.
frech		Nicki macht nicht, was seine Eltern sagen. Er ist ~.
satt		◆ Hast du noch Hunger? ■ Nein danke, ich bin ~.
nachdem		~ wir 14 Jahre in Hamburg gelebt haben, wohne ich jetzt in Frankfurt.

Lesen

1a Lies den Text. Hättest du auch Lust, so etwas wie Sebastian zu machen?
Kreuze an: ☺ ☺ ☹ .

Schüler-Redakteur Sebastian Kolb

Recherchieren und gute Texte schreiben, das müssen Redakteure können. „Manchmal braucht man für einen guten Artikel auch ein bisschen Mut", meint der 15-jährige Sebastian Kolb. Er
5 ist Chefredakteur bei der Schülerzeitung *Planet* der Erich-Kästner-Realschule in Kassel. In den letzten Jahren ist die Zeitung immer größer und erfolgreicher geworden. Letztes Jahr hat *Planet* sogar einen Wettbewerb in Hessen gewonnen.
10 Doch Sebastian geht es nicht so sehr darum, tolle Preise zu gewinnen. Er fand es schon immer spannend, Texte zu schreiben. In der 7. Klasse wollte er dann unbedingt bei *Planet* mitmachen. Jetzt ist er schon zwei Jahre dabei.
15 Die *Planet*-Redaktion weiß genau, wie eine gute Schülerzeitung funktioniert: „Sie sollte aktuelle Informationen bringen, aber auch kritisch sein und manchmal über schwierige Themen berichten", meint Sebastian. „Da kann es auch
20 mal sein, dass die Leser das nicht so toll finden!" Aber das ist für Sebastian und sein Team

kein Problem. In jeder Ausgabe gibt es etwas, was besonders interessant, spannend oder lustig ist. Für Sebastian sind das meistens die
25 Sportberichte.
Auf die Frage, was er später beruflich einmal machen möchte, wartet Sebastian nicht lange mit der Antwort: „Durch die Arbeit bei *Planet* weiß ich schon ziemlich genau, wie die Arbeit
30 eines Journalisten aussieht. Ich denke, dass ich auch in Zukunft etwas mit Medien machen möchte." Ob Radio, Internet, Fernsehen oder Zeitung, das weiß Sebastian allerdings noch nicht so genau.

b Lies den Text noch einmal. Was ist richtig? Kreuze an.

1. Sebastian meint, beim Schreiben ist es wichtig, ...
   - ⓐ auch mal mutig zu sein.
   - ⓑ viel Erfolg zu haben.
   - ⓒ Wettbewerbe zu gewinnen.

2. Sebastian schreibt ...
   - ⓐ für *Planet*, seit es die Schülerzeitung gibt.
   - ⓑ für *Planet*, seit er sieben Jahre alt ist.
   - ⓒ seit zwei Jahren für *Planet*.

3. Ein gute Schülerzeitung sollte ...
   - ⓐ nicht zu viel Kritik bringen.
   - ⓑ nicht alles nur positiv sehen.
   - ⓒ nur über positive Themen berichten.

4. Die Leser finden ...
   - ⓐ immer alle Texte toll.
   - ⓑ nicht immer alles toll.
   - ⓒ besonders die Sportberichte spannend.

5. Sebastian weiß ...
   - ⓐ noch gar nicht, was er beruflich machen will.
   - ⓑ schon genau, dass er Journalist bei einer Zeitung werden möchte
   - ⓒ , dass er beruflich mit Medien zu tun haben möchte.

Hören

2a Was für eine Sportart ist das? Ordne zu.

Kitesurfen × Wellenreiten × Windsurfen

A   B   C

....

b **Lies die Aussagen 1–5 und hör das Interview. Ist das richtig (r) oder falsch (f)?**

35 ⦾))

1. Philip hat mit sechs Jahren mit dem Windsurfen angefangen.   (r) (f)
2. Philip gibt in den Semesterferien Surfunterricht und verleiht Surfbretter.   (r) (f)
3. Er glaubt, dass Windsurfen eine leichte Sportart ist.   (r) (f)
4. Manchmal jobbt Philip auch an der Nordsee als Surflehrer.   (r) (f)
5. Philip findet, dass dieser Sport auch negative Seiten hat.   (r) (f)

> Die Informationen kommen im Interview in derselben Reihenfolge vor wie in den Aussagen.

c **Hör noch einmal und kontrolliere.**

35 ⦾))

Sprechen

3a Wähl einen Film aus, den du in der Klasse präsentieren möchtest.

b Bring die folgenden Stichpunkte in eine für dich logische Reihenfolge und mach zu jedem Stichpunkt Notizen.

- ◯ Meine Ideen zum Film
- ◯ Das Thema und die Handlung (Was im Film passiert)
- ① Titel des Films
- ◯ Warum ich diesen Film ausgewählt habe
- ◯ Die Hauptperson/en

> Denk daran, dass du nicht zu viele Notizen machst. Schreib keine ganzen Sätze, nur kurze Stichpunkte. Sie helfen dir später beim freien Sprechen.

> *Titel des Films: Twilight*
> *Die Hauptpersonen: Bella, 17 Jahre alt, neu in der Stadt und Edward, ein Vampir…*
> *…*

4 Präsentiere jetzt deinen Film.

....
Ich möchte euch/Ihnen … vorstellen. •
Zuerst … Dann … Am Schluss … • Der Film handelt von … •
Es geht um …, der/das/die … •
Ich habe ihn ausgewählt, weil/denn … • Ich denke, …
....

> Ich möchte euch heute den Film *Twilight* vorstellen. Er handelt von einem 17-jährigen Mädchen, das Bella heißt und …

Mach die Übungen. Schau dann auf S. 106 und kontrolliere.
Kreuze an: ☺ *Das kann ich sehr gut!* / ☺ *Das geht so.* / ☹ *Das muss ich noch üben.*

1 **Was ist auf dem Stadtfest passiert? Schreib eine kleine Geschichte in dein Heft.**

> auf einem großen Stadtfest sein ✖ schon sehr spät sein ✖ Handy leihen ✖
> meine Eltern anrufen ✖ Handy nicht finden ✖ ein Mädchen fragen

Ich kann über Ereignisse berichten. ☺ ☺ ☹

> *Einmal war ich …*
> *Plötzlich … Aber*
> *leider … Also …*
> *Zum Glück …*

2 **Ein deutscher Austauschschüler möchte seinen Freund Sebastian besuchen, aber er kennt den Weg nicht. Erklär ihm den Weg.**

Also: Geh _____

Dann gehst du _____

und _____

An der nächsten Ampel _____

und _____ *bis zum Fitness-Studio.*

Sebastian wohnt _____

Ich kann einen Weg beschreiben. ☺ ☺ ☹

3 **Welche Sprachen oder Dialekte sprichst du? Wann sprichst du sie? Schreib in dein Heft.**

Ich kann über meine Erfahrungen mit Fremdsprachen sprechen. ☺ ☺ ☹

4a **Du möchtest mit einer Freundin ins Kino gehen. Mach einen Vorschlag.**
Ich würde _____

b **Deine Freundin findet das Thema nicht so interessant und schlägt einen anderen Film vor. Was sagt sie?**
_____

c **Wie reagierst du?**
_____

Ich kann etwas aushandeln. ☺ ☺ ☹

5 **Du hast mit deinen Freunden einen Ausflug gemacht. Du zeigst deiner Oma Fotos und erzählst, was ihr gemacht habt. Schreib in dein Heft.**

① ② ③ ④

> *Als am Sonntag endlich die*
> *Sonne kam, … Bevor wir ein*
> *Picknick … Nachdem …*

Ich kann aus meinem Leben erzählen und die Reihenfolge von Ereignissen angeben. ☺ ☺ ☹

Kursbuch, Lektion 41, Aufgabe 12

(A) Wie heißen die Tiere? Ergänze die Relativpronomen.

Tiere **A:**

1. Der PIEP, _der_ Menschen im Schnee hilft.
   → Bernhardiner

2. Die PIEP, _____ sehr giftig ist.
   → Vogelspinne

3. Das PIEP, _____ im Wald lebt, groß und schwarz oder braun ist.
   → Wildschwein

4. Die PIEP, _____ ihren Partnern ein Leben lang treu sind.
   → Schwäne

5. Der PIEP, _____ viele Tausend Kilometer über den Ozean fliegt und Fische jagt.
   → Albatros

6. Die PIEP, _____ ein totes Junges tagelang herumtragen und traurig sind.
   → Elefanten

Lies zuerst das Beispiel. Spiel dann mit deiner Partnerin / deinem Partner das Ratespiel und notiere die Namen der Tiere von B.

A: Was ist dein Tier Nummer 1?
B: Nummer 1 ist der PIEP, der gern unter Hausdächern oder in Autos wohnt.
A: Der Marder?
B: Richtig!

Tiere von **B:**

Kamel

Kaninchen

Ente

Waschbär

Fledermaus

Marder

1. _der Marder_
2. _____
3. _____
4. _____
5. _____
6. _____

A Lies Anfang und Ende der Geschichten und ergänze die passenden Verben im Präteritum.

Anfang der Geschichten

① stehen × ~~sitzen~~ × denken × lesen

Die Frau _saß_ _____ an der Bushaltestelle und _____ in ihrem Buch. Neben ihr _____ ihr Rucksack. „Eine gute Gelegenheit", _____ der Mann.

② gewinnen × spielen × sehen

Anne und Max _____ Karten. Er _____ einmal, dann noch einmal und dann wieder. Da _____ Anne das Ass auf dem Sofa neben ihm.

③ sehen × kommen × sagen × sich setzen

Fabian _____ in die Küche, _____ den Teller auf dem Tisch und _____ . „Ah, lecker!", _____ er.

Ende der Geschichten

④ fahren × sagen × sich setzen

„Nein, es reicht", _____ er. „Ich warte nicht länger auf Lisa."
Er _____ auf sein Fahrrad und _____ wütend nach Hause.

⑤ antworten × liegen × gehen × anrufen × hören × denken

Ihr Smartphone _____ auf ihrem Bett, aber niemand _____ das Klingeln. Lukas _____ Vanessa dreimal _____ . Aber sie _____ nicht. „Na, wenn sie nicht will, dann treffe ich mich eben mit meinen Freunden und nicht mit ihr", _____ Lukas und _____ .

⑥ beginnen × nehmen × einschalten

Dann _____ er den Fernseher _____ . Gerade im richtigen Moment, denn das Fußballspiel _____ . Zufrieden _____ er den Teller mit dem Popcorn.

B liest den Anfang einer Geschichte vor. Du suchst das passende Ende und liest es auch vor. Dann liest du den Anfang einer Geschichte vor. **B** sucht das passende Ende und liest es auch vor. Setzt so sechs Geschichten zusammen.

B **Wie heißen die Tiere? Ergänze die Relativpronomen.**

Tiere **B**:

1. Der PIEP, _der_ gern unter Hausdächern oder in Autos wohnt.

    → Marder

2. Das PIEP, ... in Afrika und Asien lebt und schwere Dinge tragen kann.

    → Kamel

3. Die PIEP, ... ein Nest baut und Eier legt.

    → Ente

4. Der PIEP, ... in Hannover lebt und in Müllcontainern nach Essen sucht.

    → Waschbär

5. Die PIEP, ... in vielen Städten auf Verkehrsinseln leben.

    → Kaninchen

6. Die PIEP, ... nachts aktiv ist und tagsüber schläft.

    → Fledermaus

Lies zuerst das Beispiel. Spiel dann mit deiner Partnerin / deinem Partner das Ratespiel und notiere die Namen der Tiere von A.

B: Was ist dein Tier Nummer 1?
A: Nummer 1 ist der PIEP, der Menschen im Schnee hilft.
B: Der Bernhardiner?
A: Richtig!

Tiere von **A**:

 Albatros
 Vogelspinne
 Bernhardiner

 Elefanten
 Schwäne
 Wildschwein

1. _der Bernhardiner_
2. ....
3. ....
4. ....
5. ....
6. ....

Kursbuch, Lektion 43, Aufgabe 4

B Lies Anfang und Ende der Geschichten und ergänze die passenden Verben im Präteritum.

Anfang der Geschichten

Ⓐ suchen × ~~sein~~ × aufmachen × denken

In ihrer Jackentasche _war_ es nicht. Nun _____ Vanessa ihre
Sporttasche _____ und _____ wie verrückt. „Habe ich
es etwa zu Hause vergessen?", _____ sie dann. „Wie blöd!"

Ⓑ sehen × stehen × sein

Ben _____ vor dem Kino und _____ auf die Uhr.
Es _____ schon zwanzig vor sechs.

Ⓒ sich setzen × aufmachen × laufen

Theo _____ schnell die Tür _____ und _____
ins Wohnzimmer. Dort _____ er _____ aufs Sofa.

Ende der Geschichten

Ⓓ essen × haben

Und dann _____ er den ganzen Kuchen, denn er _____
großen Hunger.

Ⓔ aufmachen × können × suchen × hören

Der Dieb _____ ihren Rucksack vorsichtig _____ und
_____ das Portemonnaie. Aber er _____ es nicht finden.
„Nehmen Sie sofort Ihre Hand aus meinem Rucksack", _____ er da. ·
„Sonst rufe ich die Polizei."

Ⓕ warten × zurückkommen × aufstehen × gehen

Sie _____ wütend _____ und _____ aus
dem Zimmer. Er _____ ein paar Minuten, aber sie _____
nicht mehr _____.

A liest den Anfang einer Geschichte vor. Du suchst das passende Ende und liest es auch vor.
Dann liest du den Anfang einer Geschichte vor. **A** sucht das passende Ende und liest es auch vor.
Setzt so sechs Geschichten zusammen.

Unregelmäßige Verben

Infinitiv	Präsens *er/es/sie*	Präteritum *er/es/sie*	Perfekt *er/es/sie*	Übersetzung

Verben mit Präfixen wurden nicht aufgenommen, wenn das Basisverb bereits in der Liste vorhanden und die Bedeutung der Verben ähnlich ist. So steht beispielsweise *kommen* in der Liste, nicht hingegen *mitkommen*. Verben mit Präfix, die eine vom Basisverb abweichende Bedeutung haben, wurden in die Liste aufgenommen, z.B. *bestehen*.

Infinitiv	Präsens	Präteritum	Perfekt	Übersetzung
ab|biegen	biegt ab	bog ab	ist abgebogen	*to turn*
ab|schließen	schließt ab	schloss ab	hat abgeschlossen	*to connect*
an|bieten	bietet an	bot an	hat angeboten	*to offer*
an|fangen	fängt an	fing an	hat angefangen	*to begin*
an|rufen	ruft an	rief an	hat angerufen	*call*
an|ziehen	zieht an	zog an	hat angezogen	*attract*
auf|stehen	steht auf	stand auf	ist aufgestanden	*get up*
auf|wachsen	wächst auf	wuchs auf	ist aufgewachsen	*grow up*
aus|sehen	sieht aus	sah aus	hat ausgesehen	*appearance*
backen	bäckt/backt	backte	hat gebacken	*bake*
beginnen	beginnt	begann	hat begonnen	*begin*
behalten	behält	behielt	hat behalten	*to keep*
bekommen	bekommt	bekam	hat bekommen	
beraten	berät	beriet	hat beraten	
bestehen	besteht	bestand	hat bestanden	
beweisen	beweist	bewies	hat bewiesen	
bieten	bietet	bot	hat geboten	
bitten	bittet	bat	hat gebeten	
bleiben	bleibt	blieb	ist geblieben	
braten	brät	briet	hat gebraten	
bringen	bringt	brachte	hat gebracht	
denken	denkt	dachte	hat gedacht	
dürfen	darf	durfte	hat gedurft	
ein|laden	lädt ein	lud ein	hat eingeladen	
erfahren	erfährt	erfuhr	hat erfahren	
essen	isst	aß	hat gegessen	
fahren	fährt	fuhr	ist gefahren	
fern|sehen	sieht fern	sah fern	hat ferngesehen	
finden	findet	fand	hat gefunden	
fliegen	fliegt	flog	ist geflogen	
fressen	frisst	fraß	hat gefressen	
geben	gibt	gab	hat gegeben	
gefallen	gefällt	gefiel	hat gefallen	

Unregelmäßige Verben

Infinitiv	Präsens er/es/sie	Präteritum er/es/sie	Perfekt er/es/sie	Übersetzung
gehen	geht	ging	ist gegangen	
gelten	gilt	galt	hat gegolten	
genießen	genießt	genoss	hat genossen	
gewinnen	gewinnt	gewann	hat gewonnen	
haben	hat	hatte	hat gehabt	
hängen*	hängt	hing	hat gehangen	
heißen	heißt	hieß	hat geheißen	
helfen	hilft	half	hat geholfen	
herunter|laden	lädt herunter	lud herunter	hat heruntergeladen	
kennen	kennt	kannte	hat gekannt	
kommen	kommt	kam	ist gekommen	
können	kann	konnte	hat gekonnt	
laufen	läuft	lief	ist gelaufen	
leihen	leiht	lieh	hat geliehen	
lesen	liest	las	hat gelesen	
liegen	liegt	lag	hat gelegen	
mögen	mag	mochte	hat gemocht	
müssen	muss	musste	hat gemusst	
nehmen	nimmt	nahm	hat genommen	
nennen	nennt	nannte	hat genannt	
raten	rät	riet	hat geraten	
reiben	reibt	rieb	hat gerieben	
reiten	reitet	ritt	ist geritten	
rufen	ruft	rief	hat gerufen	
scheinen	scheint	schien	hat geschienen	
schießen	schießt	schoss	hat geschossen	
schlafen	schläft	schlief	hat geschlafen	
schneiden	schneidet	schnitt	hat geschnitten	
schreiben	schreibt	schrieb	hat geschrieben	
schwimmen	schwimmt	schwamm	ist geschwommen	
sehen	sieht	sah	hat gesehen	
sein	ist	war	ist gewesen	
singen	singt	sang	hat gesungen	

* Dieses Verb gibt es auch mit regelmäßiger Präteritums- und Perfektform.
  Dann hat das Verb aber eine etwas andere Bedeutung.

Unregelmäßige Verben

Infinitiv	Präsens er/es/sie	Präteritum er/es/sie	Perfekt er/es/sie	Übersetzung
sitzen	sitzt	saß	hat gesessen	
sollen	soll	sollte	hat gesollt	
spinnen	spinnt	spann	hat gesponnen	
sprechen	spricht	sprach	hat gesprochen	
springen	springt	sprang	ist gesprungen	
statt|finden	findet statt	fand statt	hat stattgefunden	
stehen	steht	stand	ist gestanden	
stehlen	stiehlt	stahl	hat gestohlen	
steigen	steigt	stieg	ist gestiegen	
sterben	stirbt	starb	ist gestorben	
streiten	streitet	stritt	hat gestritten	
teil|nehmen	nimmt teil	nahm teil	hat teilgenommen	
tragen	trägt	trug	hat getragen	
treffen	trifft	traf	hat getroffen	
trinken	trinkt	trank	hat getrunken	
tun	tut	tat	hat getan	
übertreiben	übertreibt	übertrieb	hat übertrieben	
um|fallen	fällt um	fiel um	ist umgefallen	
um|ziehen	zieht um	zog um	ist umgezogen	
unterhalten	unterhält	unterhielt	hat unterhalten	
verbringen	verbringt	verbrachte	hat verbracht	
vergessen	vergisst	vergaß	hat vergessen	
verlassen	verlässt	verließ	hat verlassen	
verlieren	verliert	verlor	hat verloren	
verstehen	versteht	verstand	hat verstanden	
vor|haben	hat vor	hatte vor	hat vorgehabt	
vor|schlagen	schlägt vor	schlug vor	hat vorgeschlagen	
weh|tun	tut weh	tat weh	hat wehgetan	
werden	wird	wurde	ist geworden	
werfen	wirft	warf	hat geworfen	
wiegen	wiegt	wog	hat gewogen	
wissen	weiß	wusste	hat gewusst	
wollen	will	wollte	hat gewollt	

Verben mit Präpositionen

Verb	Präposition + Kasus	Beispiel
anfangen	mit + Dativ	Es ist 8.00 Uhr. Wir fangen jetzt mit dem Unterricht an.
antworten *reply*	auf + Akkusativ	Hast du auf seine E-Mail geantwortet?
sich ärgern	über + Akkusativ	Sven ärgert sich über den Fehler im Mathetest.
aufhören *stop*	mit + Dativ	Oliver hat mit dem Computerspielen aufgehört. Er muss für die Prüfungen lernen.
aufpassen *check out*	auf + Akkusativ	Kannst du auf mein Fahrrad aufpassen, während ich einkaufe?
sich aufregen	über + Akkusativ	Carla regt sich über Nicks SMS auf.
ausgeben	für + Akkusativ	Nina gibt ca. 50 Euro im Monat für neue Kleidung aus.
sich bedanken	bei + Dativ für + Akkusativ	Der Reporter bedankt sich bei dem Jungen für das Interview.
beneiden	um + Akkusativ	Ich beneide dich um deine schönen Haare.
beschäftigen	mit + Dativ	Julian beschäftigt sich gern mit Computern.
bestehen	aus + Dativ	Der Test besteht aus einem Lesetext und einer Schreibaufgabe.
danken	für + Akkusativ	Ich danke dir für deine Hilfe.
denken	an + Akkusativ	Sarah denkt oft an ihren Freund Ben.
sich eignen	für + Akkusativ	Dieses Spielzeug eignet sich für Kinder ab 3 Jahre.
einladen	zu + Dativ	Hat dich Sofie zu ihrer Geburtstagsparty eingeladen?
sich entschuldigen	bei + Dativ für + Akkusativ	Tom entschuldigt sich bei seinen Eltern für sein Verhalten.
erfahren	von + Dativ	Wir haben von deinem Geburtstag erfahren und gratulieren dir.
sich erholen	von + Dativ	Hast du dich von dem schwierigen Test erholt?
sich erinnern	an + Akkusativ	Die Schüler erinnern sich gern an die Klassenfahrt nach Hamburg.
erzählen *tell*	von + Dativ	Meine Oma erzählt gern von ihrer Jugend.
erzählen	über + Akkusativ	Kapitän Peters erzählte spannende Sachen über den Hamburger Hafen.
fragen	nach + Dativ	Wo ist die Post? Kannst du den Mann nach dem Weg fragen?
sich freuen	auf + Akkusativ	Ich freue mich schon auf die Sommerferien.
sich freuen	über + Akkusativ	Carla hat sich sehr über dein Geburtstagsgeschenk gefreut.
gehen	um + Akkusativ	In diesem Artikel geht es um das Thema „Konsum".
gehören	zu + Dativ	Zu diesem Smartphone gehört auch ein Kopfhörer.
gelten	als + Nominativ	Fabio gilt als einer der besten Fußballspieler in unserer Schule.
glauben	an + Akkusativ	Du schaffst das. Ich glaube an dich.

Verben mit Präpositionen

Verb	Präposition + Kasus	Beispiel
gratulieren	zu + *Dativ*	Wir gratulieren dir zu deiner Eins in Mathe.
helfen	bei + *Dativ*	Nico hilft seinen Geschwistern bei den Hausaufgaben.
hoffen	auf + *Akkusativ*	Wir hoffen auf gutes Wetter während unserer Klassenfahrt.
hören	von + *Dativ*	Hast du schon von dem Flashmob an unserer Schule gehört?
sich informieren	bei + *Dativ*	Ich habe mich bei dem Verkäufer über die Preise informiert.
	über + *Akkusativ*	
sich interessieren	für + *Akkusativ*	Julian interessiert sich für Musik.
sich kümmern	um + *Akkusativ*	Die Eltern kümmern sich um ihre Kinder.
lachen	über + *Akkusativ*	Lacht ihr über mich?
passen	zu + *Dativ*	Der rote Rock passt gut zu dieser blauen Bluse.
protestieren	gegen + *Akkusativ*	Die Leute protestieren gegen das neue Einkaufszentrum.
reden	über + *Akkusativ*	Sabine redet nur noch über ihre neuen Freunde.
schimpfen	auf / über + *Akkusativ*	Die alte Frau schimpft auf / über die Jugendlichen.
schmecken	nach + *Dativ*	Der Kuchen schmeckt nach süßen Äpfeln.
schreiben	an + *Akkusativ*	Ich schreibe eine SMS an meinen Freund.
sein	für + *Akkusativ*	Ich bin für den Schutz der Umwelt.
sein	gegen + *Akkusativ*	Ich bin gegen den Verkauf von Plastikflaschen.
sprechen	mit + *Dativ*	Ich spreche oft mit meiner Freundin über das Thema
	über + *Akkusativ*	„Umweltschutz".
sterben	an + *Dativ*	Er ist an einer Krankheit gestorben.
streiten	mit + *Dativ*	Ich streite mich oft mit meinem Bruder über das
	über + *Akkusativ*	Fernsehprogramm.
suchen	nach + *Dativ*	Katrin sucht nach ihrem Stift.
teilnehmen	an + *Dativ*	Ohle nimmt an einem Flashmob teil.
telefonieren	mit + *Dativ*	Ich telefoniere heute Abend mit meiner Oma.
sich treffen	mit + *Dativ*	Er trifft sich mit seinem Cousin.
sich unterhalten	mit + *Dativ*	Ich unterhalte mich oft mit meinen Freunden über die Schule.
	über + *Akkusativ*	
sich verabreden	mit + *Dativ*	Ich verabrede mich mit einem Mädchen.
verstehen	von + *Dativ*	Mein Vater versteht nichts von moderner Musik.
verzichten	auf + *Akkusativ*	Ich verzichte eine Woche lang auf mein Smartphone.
warten	auf + *Akkusativ*	Kerstin wartet vor dem Kino auf ihren Bruder.
wissen	von + *Dativ*	Ich weiß nichts von dieser SMS. Hast du sie wirklich geschickt?

Das kannst du jetzt – Modul 13, S. 35

Mögliche Lösungen:

1 Wir könnten ins Kino gehen.
Sollen wir in den Park gehen und Fußball spielen?
Ich schlage vor, ins Schwimmbad zu gehen.

2 ☺ Das ist eine gute Idee. / Ja, einverstanden.
☹ Das ist keine so gute Idee. / Nein, das finde ich nicht so gut.
Vielleicht können wir selbst Pizza machen.

3 ● Wir müssen Essen und Getränke besorgen. Wer übernimmt das?
▪ Das kann ich übernehmen.
● Super, danke! Und vergiss nicht, Chips zu kaufen.
Und Andi, kannst du deine Lautsprecher mitbringen?
◆ Nein, tut mir leid. / Nein, vielleicht machst *du* das besser. Die sind kaputt.

4 Vor dem Essen mache ich meine Hausaufgaben.
Während des Essens spreche ich mit meiner Familie.
Nach dem Sport surfe ich oft noch ein bisschen im Internet.

5 Meiner Meinung nach ist das Internet nicht wirklich gefährlich. Man
muss nur ein bisschen aufpassen, welche Webseiten man besucht.
Ich denke, dass Freunde genauso wichtig sind wie Familie. Überleg doch
mal! Manche Sachen kann man nur seinen Freunden sagen.

6 Ich würde mit ihr reden und ihr sagen, dass ich das nicht möchte. Ich will
doch nicht, dass sie alles über mich weiß.

Das kannst du jetzt – Modul 14, S. 65

Mögliche Lösungen:

1 Vielleicht solltest du früher ins Bett gehen. / Du solltest unbedingt mal
kalt duschen.

2 Bevor ich Hausaufgaben mache, surfe ich immer ein bisschen im Internet.
Ich esse gern Pizza, während ich einen Film schaue.

3 Ich freue mich wegen der netten SMS von Pia. Sie hat mich am Wochenende
besucht und ich freue mich, weil es ihr hier in Berlin so gut gefallen hat.

4 Ich finde Dominiks Verhalten unmöglich! Ich verstehe ja, dass er viel Zeit mit
seiner Freundin verbringen möchte, aber er kann mich doch mal anrufen.

5a Ich spreche heute über das Thema „Haustiere in der Wohnung". Zuerst erzähle
ich von meinen Erfahrungen mit Haustieren. Dann berichte ich, wie die
Situation hier in Spanien ist und am Schluss spreche ich über die Vor- und
Nachteile von Haustieren in der Wohnung.

b Ich finde es positiv, weil man lernt, sich um die Tiere zu kümmern.
Negativ ist, dass es in einer Wohnung nicht so viel Platz gibt.

c Mein Vortrag ist jetzt zu Ende. Ich hoffe, er war interessant. Vielen Dank
für eure Aufmerksamkeit.

Lösungen

Mögliche Lösungen:

1. Einmal war ich auf einem großen Stadtfest. Meine Freunde und ich hatten viel Spaß und dachten nicht an die Zeit. Plötzlich war es schon sehr spät. Ich wollte meine Eltern anrufen, aber leider konnte ich mein Handy nicht finden. Also fragte ich ein Mädchen, das neben mir am Tisch saß. Zum Glück hatte sie ihr Handy dabei und ich durfte telefonieren. Ich rief meine Eltern an und sie holten mich dann mit dem Auto ab.

2. Also: Geh diese Straße entlang bis zur nächsten Kreuzung. Dann gehst du links um die Ecke und dann wieder geradeaus. An der nächsten Ampel gehst du über die Straße und weiter die Straße entlang bis zum Fitness-Studio. Sebastian wohnt genau gegenüber dem Fitness-Studio.

3. Ich spreche Spanisch, Englisch und Deutsch, aber ich spreche leider keinen Dialekt. Spanisch spreche ich eigentlich immer. Manchmal schreibe ich E-Mails auf Englisch mit meinen Freunden aus Frankreich und England. Und Deutsch spreche und schreibe ich nur in der Schule.

4a. Ich würde mir gern den neuen *Star Wars*-Film im Kino anschauen. Würdest du da mitkommen?

b. Nein, der Film interessiert mich nicht so sehr. Würdest du auch in den neuen Film von Peter Jackson gehen?

c. Ja, gern. Jackson-Filme schaue ich auch gern an. / Ja, obwohl ich Jackson-Filme gar nicht so gern mag. / Nein, ich glaube nicht, weil ich Jackson-Filme so langweilig finde.

5. Als am Sonntag endlich die Sonne kam, haben wir mit dem Fahrrad einen Ausflug an den Olchinger See gemacht. Bevor wir ein Picknick gemacht haben, sind wir erst einmal schwimmen gegangen. Nachdem wir geschwommen waren, haben wir uns in die Sonne gesetzt und gegessen. Nachdem wir gegessen hatten, haben wir Volleyball gespielt und nachdem wir gespielt hatten, haben wir geschlafen. Der Tag war total super!

Cover: Jugendliche: Martin Kreuzer, Bachern am Wörthsee; Hintergrund © Thinkstock/iStock/elxeneize

Seite 3: Weltkugel © fotolia/ag visuell
Seite 8: 6: A © Thinkstock/Fuse; B © Thinkstock/Stockbyte/Jupiterimages; C © Thinkstock/Stockbyte/Joe Madeira
Seite 10: © Thinkstock/iStock/Nanette_Grebe
Seite 11: © Thinkstock/iStock Editorial/Vladimir Arndt
Seite 12: A © Thinkstock/Wavebreak Media/Wavebreakmedia Ltd; B © Thinkstock/iStock/monkeybusinessimages; C © Thinkstock/iStock/monkeybusinessimages
Seite 13: Lautsprecher © Thinkstock/iStock/bubaone; Glühbirne © Thinkstock/iStock/johavel
Seite 14: Flashmob © Thinkstock/iStock Editorial/Vladimir Arndt; Weltkugel ©fotolia/ag visuell
Seite 16: © fotolia/minicel73
Seite 18: Held © Thinkstock/iStock/Gazometr; Urlaub © Thinkstock/iStock/apinunrin
Seite 19: © Thinkstock/iStock/shironosov
Seite 20: 1 © Thinkstock/iStock/urfinguss; 2 © Thinkstock/iStock/Alexander Bedrin; 3 © Thinkstock/iStock/Saskia Massink; 4 © fotolia/M. Schuppich; 5 © Thinkstock/iStock/Laurent davoust; 6 © Thinkstock/iStock/akova
Seite 21: © Thinkstock/iStock/funstock
Seite 22: Held © Thinkstock/iStock/Gazometr; Weltkugel © fotolia/ag visuell
Seite 23: Kreditkarte © Thinkstock/iStock/Laurent davoust; Briefmarke © fotolia/M. Schuppich; Postkarte © Thinkstock/iStockphoto; Landkarte © Thinkstock/iStock/Saskia Massink; Fotoapparat © Thinkstock/iStock/Alexander Bedrin; Weltkugel © fotolia/ag visuell
Seite 25: © Thinkstock/iStock/monkeybusinessimages
Seite 26: Freundinnen © fotolia/wildworx; Koffer © fotolia/Volker Witt
Seite 27: Freunde © Thinkstock/iStock/hjalmeida; Tanzen © Thinkstock/iStock/Creative_Outlet; Smiley © Thinkstock/iStock/stockerteam
Seite 28: Paula und Lilian © Thinkstock/iStock/gpointstudio; Benni © Thinkstock/iStock/prawny
Seite 29: A © fotolia/Eric Gevaert; B © Thinkstock/iStock/Noah Strycker; C © Thinkstock/iStock/sindlera; D © Thinkstock/iStock/FLCreativePhoto; E© Thinkstock/iStock/Raldi Somers
Seite 30: Abbildung: S. Fischer Verlag GmbH
Seite 31: Weltkugel © fotolia/ag visuell; Albatros © Thinkstock/iStock/Tom Brakefield; Pinguin © Thinkstock/iStock/Noah Strycker; Schwan © Thinkstock/iStock/ewastudio; Affe © Thinkstock/iStock/tane-mahuta; Elefant © Thinkstock/iStock/Jan Zoetekouw
Seite 33: Vertrag © Thinkstock/iStock/Wladimir Bulgar
Seite 34: Profilbilder: Nick © Thinkstock/iStock/robuart; Theresa © Thinkstock/Purestock; Sven © Thinkstock/Hemera/Orlando florin Rosu; Mila © Thinkstock/Zoonar/Zoonar RF
Seite 35: Schreibtisch © Thinkstock/iStock/M_Arnold; Volleyball © Thinkstock/iStock/.shock; Internet © Thinkstock/iStock/Ridofranz; Essen © Thinkstock/iStock/monkeybusinessimages
Seite 36: Kompass © fotolia/Dirk Schumann; 1 © Thinkstock/iStock/Leonid Andronov; 2 © Thinkstock/iStock Editorial/anandoart; 3 © PantherMedia/Jutta Glatz; 4 © Thinkstock/Hemera/Jan Hanus; 5 © action press/Public Address Presseagentur; 6 © Thinkstock/iStock/Photowee
Seite 37: Kaffeemaschine © Thinkstock/Stockbyte/altrendo images; Joggen © fotolia/Martinan; A © fotolia/johas; B © PantherMedia/Andreas Weber; C © Thinkstock/iStockphoto; D © Thinkstock/iStock Editorial/graphia76
Seite 38: 1 © MEV; 2 © Thinkstock/iStock/HandmadePictures; 3 © PantherMedia/Zorka Vuckovic; 4 © Thinkstock/iStock

Seite 39: Ü6: A © Thinkstock/Wavebreak Media; B © Thinkstock/iStock/monkeybusinessimages; C © Thinkstock/Purestock; Ü9: A © iStock/furtaev; B, D und F © fotolia/vektorisiert; C © Thinkstock/iStock/jojoo64; E © fotolia/playstuff
Seite 40: © fotolia/mRGB
Seite 42: © Thinkstock/iStock/frankix
Seite 43: Karte © Digital Wisdom; Kostüm © action press/Public Address Presseagentur; Weltkugel © fotolia/ag visuell
Seite 44: rauchen © fotolia/xiver; WC © Thinkstock/iStock/jojoo64
Seite 45: Smileys: 1 © Thinkstock/iStock/Yael Weiss; 2 und 3 © Thinkstock/iStock/yayayoyo
Seite 46: Ü7 © Thinkstock/Stockbyte/Comstock
Seite 47: A © Thinkstock/Digital Vision/Stewart Sutton; B © Thinkstock/Photodisc/James Woodson; C © Thinkstock/Zoonar/Zoonar RF; D © Thinkstock/iStock/Remains
Seite 51: Katze © fotolia/absolutimages
Seite 52: wütend © Thinkstock/iStock/Yael Weiss; peinlich © Thinkstock/iStock/yayayoyo; löschen © Thinkstock/iStock/tacktack; Schlafanzug © Thinkstock/Photodisc; Loch © fotolia/Tim; Fleck © Thinkstock/iStock/Vichly44; Katze © Thinkstock/iStock/palantir; Weltkugel © fotolia/ag visuell
Seite 53: Weltkugel © fotolia/ag visuell; Bernhardiner, Fuchs, Wildschwein © Thinkstock/iStock/Eric Isselée; Ente © Thinkstock/iStock/NatalyaAksenova; Fledermaus © Thinkstock/iStock/KirsanovV; Vogelspinne © Thinkstock/iStock/Mirosław Kijewski; Waschbär © Thinkstock/iStock/GlobalP; Wasserschildkröte © Thinkstock/iStock/richcarey
Seite 54: A © Thinkstock/iStock/m-imagephotography; B © Thinkstock/iStock/AndreyPopov; C © Thinkstock/iStock/pojoslaw
Seite 55: © Thinkstock/Hemera/Yuri Arcurs
Seite 57: Ü11 © Thinkstock/iStock/ayutaka; Ü12: 1 und 2 © Thinkstock/iStockphoto; 3 © Thinkstock/iStock/Tamara Jovic; 4 © iStock/kgfoto; 5 © iStockphoto/Afonkin_Yuriy; 6 © PantherMedia/Manav Lohia; 7 © Thinkstock/iStock/Jultud
Seite 59: Löffel © iStockphoto/MarkSwallow; Grüne Soße © fotolia/Tanja; Kräuter © Thinkstock/iStock/StudioBarcelona; Eier pellen © fotolia/ThamKC
Seite 60: Ü19 © Thinkstock/iStock/ViktorCap; Ü20: Vater und Tochter © fotolia/Katarzyna Bialasiewicz; Mutter und Sohn © Thinkstock/iStock/Mark Bowden
Seite 61: Nachspeise © Thinkstock/iStock/sanddebeautheil; Geschirr © Thinkstock/iStock/serezniy; Weltkugel © fotolia/ag visuell
Seite 62: Karotte © Thinkstock/iStock/ClaudioVentrella; Zwiebel © Thinkstock/iStock/Tamara Jovic; Mehl © iStockphoto/Afonkin_Yuriy; Salz, Pfeffer, Tomate © Thinkstock/iStockphoto; Öl © PantherMedia/Manav Lohia; Bohne © iStock/kgfoto; Käse © Thinkstock/iStock/Jultud; Wurst © MEV; schälen © Thinkstock/iStock/Alexandru Kacso; reiben © fotolia/sil007; braten © fotolia/blende40; Weltkugel © fotolia/ag visuell
Seite 63: © fotolia/pure-life-pictures
Seite 64: Ohle © Thinkstock/iStock/Patrick Guenette
Seite 65: Internet ©Thinkstock/iStock/vm; Musik hören © Thinkstock/iStock/Mark Bowden; Hausaufgaben © Thinkstock/Hemera/Hans Siegers; essen © Thinkstock/iStock/Martinan; fernsehen © Thinkstock/iStock/tommaso79
Seite 66: © Thinkstock/iStock/Vladimir Arndt
Seite 67: Gitarre spielen © Thinkstock/Stockbyte/Jupiterimages; Computer spielen © Thinkstock/iStock/Massonstock
Seite 68: Taschenlampe © Thinkstockphoto/iStock/Diabluses
Seite 73: Weltkugel © fotolia/ag visuell
Seite 74: küssen © iStockphoto/Tom Merton; Weltkugel © fotolia/ag visuell
Seite 76: Ü6 © Thinkstock/iStock/Feverpitched
Seite 78: Hieroglyphen © Thinkstock/Design Pics; A © Thinkstock/Hemera/Tal Revivo; B © Thinkstock/iStock/seb_ra; C © Thinkstock/iStock/lukas_zb

Quellenverzeichnis

Seite 80: Alicia © Thinkstock/iStock/andresrimaging;
Tobias © Thinkstock/iStock/g-stockstudio; Flaggen © fotolia/createur
Seite 81: Hexe © fotolia/snyggg.de; Lebkuchenhaus © Thinkstock/
iStock/AntiMartina
Seite 82: Weltkugel © fotolia/ag visuell
Seite 83: Weltkugel © fotolia/ag visuell; Blinder © iStockphoto/
tacktack; Finger © Thinkstock/Hemera/Tal Revivo
Seite 84: Ü2: Babys © PantherMedia/Alena Ozerova; Kinder
© Thinkstock/iStock/Dejan Ristovski; Jugendliche © Thinkstock/
iStock/Westend 61; Erwachsene, Senioren © Thinkstock/iStock/
monkeybusinessimages; Ü3: Junge blond © Thinkstock/iStock/søren
Sielemann; Mädchen brünett © Thinkstock/Fuse; Junge brünett
© Thinkstock/iStock/castillodominici
Seite 85: Frauen © Thinkstock/iStock/dolgachov; Luka © Thinkstock/
iStock/shironosov
Seite 86: © Thinkstock/iStock/Antonio_Diaz
Seite 87: Smiley unten © fotolia/DigiClack
Seite 88: A © Thinkstock/iStock/g-stockstudio; B © Thinkstock/
iStock/Voyagerix; C © Thinkstock/iStock/Oleksandr Kalinichenko;
D © Thinkstock/iStock/styf22; E © Thinkstock/iStock/Dinamis90;
F © Thinkstock/Design Pics; Mark und Frankfurt © Thinkstock/
iStock/m-imagephotography; Hamburg © Thinkstock/Fuse;
Bremen © Thinkstock/iStock/Nadezhda1906

Seite 89: © fotolia/Monkey Business
Seite 91: Weltkugel © fotolia/ag visuell
Seite 92: Motorschiff © Thinkstock/iStock/styf22; Segelschiff
© Thinkstock/iStock/Voyagerix; Weltkugel © fotolia/ag visuell
Seite 93: © Thinkstock/iStock/omgimages
Seite 94: A © Thinkstock/iStock/YanLev; B © Thinkstock/Purestock;
C © Thinkstock/Photodisc/Ryan McVay
Seite 95: 1 © Thinkstock/Fuse; 2 © Panthermedia/bialasiewicz;
3 © Thinkstock/Polka Dot/Polka Dot Images; 4 © fotolia/Picture-
Factory
Seite 96: Kamel © Thinkstock/iStock/Eric IsselTe; Kaninchen,
Waschbär, Marder © Thinkstock/iStock/GlobalP;
Ente © Thinkstock/iStock/NatalyaAksenova; Fledermaus
© Thinkstock/iStock/KirsanovV
Seite 97: Ass © Thinkstock/iStock/eriksvoboda
Seite 98: Albatros © Thinkstock/Stockbyte/Tom Brakefield;
Vogelspinne © Thinkstock/iStock/Mirosław Kijewski;
Bernhardiner, Wildschwein © Thinkstock/iStock/Eric Isselée;
Elefanten © Thinkstock/iStock/abadonian; Schwäne © Thinkstock/
iStock/Ratikova

Alle übrigen Fotos: Alexander Keller, München
Bildredaktion: Iciar Caso, Hueber Verlag, München